Viel Spaß und Glück
beim Kochen!

2009!

Deutsche Küche

Bath · New York · Singapore · Hong Kong · Cologne · Delhi · Melbourne

Übersetzung und Bearbeitung der Rezepte: Sabine Schniffner, Köln; Anastasia Sioutis (trans texas)
Redaktion und Satz: trans texas publishing, Köln

ISBN 978-1-4075-3264-6
Printed in China

Sofern die Schale von Zitrusfrüchten benötigt wird, verwenden Sie unbedingt unbehandelte Früchte.
Sind Zutaten in Löffeln angegeben, ist immer ein gestrichener Löffel gemeint: Ein Teelöffel entspricht 5 ml, ein Esslöffel 15 ml.
Sofern nicht anders angegeben, wird Vollmilch (3,5 % Fett) verwendet.
Es sollte stets frisch gemahlener schwarzer Pfeffer verwendet werden.
Bei Eiern und einzelnen Gemüsesorten, z. B. Kartoffeln, verwenden Sie mittelgroße Exemplare.
Kinder, ältere Menschen, Schwangere, Kranke und Rekonvaleszenten sollten auf Gerichte mit rohen oder nur leicht gegarten Eiern verzichten.
Die angegebenen Zeiten können von den tatsächlichen leicht abweichen, da je nach verwendeter Zubereitungsmethode und vorhandenem Herdtyp Schwankungen auftreten.

Deutsche Küche

Einleitung

Denken wir an die deutsche Küche, so fallen den meisten zunächst Würstchen, Sauerkraut und Leberkäse ein. Dabei hat unsere Küche so viele abwechslungsreiche und gesunde Gerichte zu bieten wie kaum eine andere in Europa. Je nach Region gibt es bestimmte Vorlieben und Variationen, oftmals wird ein und dasselbe Gericht in den einzelnen Teilen Deutschlands so unterschiedlich zubereitet, dass es kaum wiederzuerkennen ist. Wir stellen Ihnen in diesem Buch viele altbekannte Rezepte – die Sie vielleicht schon immer einmal zubereiten wollten –, aber auch ungewöhnlichere, ebenso köstliche Variationen vor.

Fleisch, Wild und Geflügel sind ein Hauptbestandteil der deutschen Küche: Rind, Schwein, Wildschwein, Hähnchen, Kaninchen, Lamm, Ente und Gans genießt man in herzhaften Brat- und Schmorgerichten sowie in leckeren Eintöpfen. Deutschland ist berühmt für seine große Vielfalt an Würsten, die oft und gern gegessen werden. Die Palette reicht von den milden Wiener Würstchen bis zum kräftig gewürzten Krakauer.

Auch Fisch ist sehr beliebt, und zwar sowohl der Salzwasserfisch aus Nord- und Ostsee als auch Süßwasserfische aus den zahlreichen Flüssen, die das Land durchziehen.

Fast alle Gerichte, Suppen ebenso wie Hauptgerichte, werden von einer unendlichen Vielfalt an Beilagen begleitet, mal von Kartoffelpüree, mal von Semmelknödeln, die eine Spezialität aus Bayern sind. Nudeln werden auch sehr geschätzt – Spätzle schabt man vom

Brett, aber man kann den Teig auch durch ein Spätzlesieb geben – mit gleichem Erfolg! Die Kartoffel bleibt jedoch die beliebteste Beilage der Deutschen.

Desserts und Kuchen dürfen bei keinem Essen und besonders nicht beim traditionellen Kaffeeklatsch fehlen. Begeben Sie sich mit uns auf eine kulinarische Reise durch die deutsche Küche.

Suppen, Vorspeisen
& kleine Speisen

Suppen sind bei uns ganz einfach unentbehrlich – sie sind herzhaft und sättigend und werden oft als komplette Mahlzeit serviert. Eine kräftige Brühe aus Rindfleisch mit Knochen ist schnell zubereitet und bildet die Basis einer guten Suppe. Deshalb sollte man auf die Verwendung von Fertigbrühe weitgehend verzichten – der Geschmack einer frischen Suppe ist einfach unvergleichlich.

Brauhäuser mit den regionalen Bierspezialitäten ziehen sich durch ganz Deutschland, und hier werden gern deftige Gerichte zum Bier serviert. Vielleicht finden Sie, dass zu Ihrem Lieblingsbier *Frikadellen* passen, in Butter gebraten und mit Zwiebelringen belegt. Eine Alternative dazu wären *Obazda*, ein oder zwei Stück *Zwiebelkuchen mit Kümmel, Handkäs mit Musik, Soleier* oder *Kartoffelsalat mit Wiener Würstchen*.

Der weiße Spargel ist in Deutschland der König unter den Gemüsesorten; es gibt Restaurants, die während der sehr kurzen Ernteperiode fast ausschließlich Spargel in vielen verschiedenen Variationen servieren. Authentisch ist dieses Gericht mit Schinken und Sauce hollandaise. Unter den zahlreichen Schinkensorten gelten kräftiger geräucherter Schwarzwälder Schinken oder milder Kochschinken als Klassiker. Die ersten jungen Kartoffeln machen diesen Leckerbissen perfekt.

Leberknödelsuppe

Zutaten

FÜR 4 PERSONEN

3 altbackene Brötchen

125 ml lauwarme Milch

½ TL Salz

20 g Schweineschmalz

1 Zwiebel, fein gehackt

250 g Rinderleber, durch den
    Fleischwolf gedreht

1 Ei

Salz und Pfeffer

½ TL frisch gehackter oder
    ¼ TL getrockneter
    Majoran

2 EL frisch gehackte Petersilie

3 EL Semmelbrösel

1 l Rinderbrühe

Roggenmischbrot, zum
    Servieren

Zubereitung

1 Die Brötchen in Scheiben schneiden, mit der Milch begießen, salzen und alles durchziehen lassen, bis die Brötchen weich sind.

2 Das Schweineschmalz in einer Pfanne auslassen, die Zwiebel darin glasig dünsten. In einer Schüssel Leber und gedünstete Zwiebeln vermengen. Die Brötchenmasse zugeben und gut verkneten.

3 Ei, Salz, Pfeffer, Majoran, Petersilie und Semmelbrösel zugeben und zu einem geschmeidigen Teig verkneten. Mit angefeuchteten Händen Knödel formen.

4 Die Rinderbrühe zum Kochen bringen, dann die Hitze auf die niedrigste Stufe reduzieren. Die Leberknödel in die Brühe geben und etwa 20 Minuten ziehen lassen. Sofort mit Roggenmischbrot servieren.

Flädlesuppe

Zutaten

FÜR 4 PERSONEN

500 g Suppenknochen

350 g Suppenfleisch

1 Porreestange, in Ringe
   geschnitten

1 Karotte, in Scheiben
   geschnitten

1 Stück Sellerie, in Stücke
   geschnitten

1 Petersilienwurzel, gewürfelt

1 Pastinake, gewürfelt

2 Zweige glatte Petersilie

1 Zwiebel

Salz

1,5 l Wasser

gehackte Petersilie, zum
   Garnieren (nach Belieben)

Pfannkuchen

60 g Mehl

1 Ei

125 ml Milch

Salz

1 EL Butter

Zubereitung

1 Suppenknochen, Suppenfleisch, Gemüse und Salz in kaltem Wasser aufsetzen, langsam aufkochen und 2–2½ Stunden köcheln lassen. Um der Suppe eine schöne Farbe zu verleihen, einige Zwiebelschalen kurz mitkochen. Die Suppe durch ein Sieb in einen anderen Topf passieren und beiseitestellen.

2 Für die Pfannkuchen das Mehl in eine Schüssel geben. Ei, Milch und etwas Salz zufügen und gut vermengen, bis ein dünnflüssiger Teig entsteht. Die Butter in einer Pfanne zerlassen und so viel Teig hineingeben, dass der Boden der Pfanne gerade bedeckt ist. Auf einer Seite backen, vorsichtig wenden und die andere Seite backen.

3 Die Pfannkuchen abkühlen lassen, aufrollen und in dünne Streifen schneiden. Die Streifen in Suppenteller geben und mit der fertigen Fleischbrühe aufgießen. Nach Belieben gehackte Petersilie in die Suppe geben und sofort servieren.

Ochsenschwanzsuppe

Zutaten

FÜR 4 PERSONEN

5 EL Butter

2 Zwiebeln, 1 in Ringe geschnitten, 1 klein gehackt

1 Porreestange, in Ringe
   geschnitten

1 große Karotte, in Stücke
   geschnitten

1 Pastinake, gewürfelt

1 kleine Sellerieknolle,
   gewürfelt

1 Petersilienwurzel, gewürfelt

1 EL frisch gehackte Petersilie

1 Ochsenschwanz, in 2,5 cm
   große Stücke geschnitten

2 l Wasser

1 Lorbeerblatt

etwas frischer Thymian

6 schwarze Pfefferkörner

4 EL Mehl

1 Msp. Paprikapulver

1 EL Madeira

Salz und Pfeffer

Brötchen oder Roggenbrot,
   zum Servieren

Zubereitung

1 In einem großen Topf bei mittlerer Hitze
2 Esslöffel Butter zerlassen. Zwiebelringe,
Porree, Karotte, Pastinake, Sellerie, Petersilienwurzel, Petersilie und Ochsenschwanz
zufügen. Alles etwa 10 Minuten unter Rühren
anbräunen.

2 Das Wasser zugießen und Lorbeer, Thymian
und Pfeffer zugeben. Aufkochen, dann die
Hitze reduzieren und etwa 2 Stunden köcheln
lassen. Die Ochsenschwanzstücke herausnehmen und das Fleisch vom Knochen lösen.
Das Fleisch in kleine Stücke schneiden und
zurück in die Brühe geben.

3 Die restliche Butter in einem kleinen Topf
zerlassen, die gehackte Zwiebel zugeben und
goldgelb dünsten. Das Mehl zugeben und
anschwitzen. Nach und nach etwa 300 ml
Brühe zugießen und unter Rühren kochen
lassen, bis die Mehlschwitze andickt. Die
Mehlschwitze in die Suppe einrühren und
weitere 30 Minuten köcheln lassen.

4 Kurz vor dem Servieren das Paprikapulver
und den Madeira einrühren und mit Salz und
Pfeffer abschmecken. Mit Brötchen oder Roggenbrot servieren.

Hamburger Aalsuppe

Zutaten

FÜR 4 PERSONEN

100 g Schinkenschwarte

200 g Markknochen

1 kleiner Kohlrabi, grob
    gehackt

3 Karotten, grob gehackt

1 Petersilienwurzel, gehackt

1 kleiner Blumenkohl, in
    Röschen zerteilt

750 ml Fleischbrühe

60 g Porree

60 g Sellerie

150 g Backobst, über Nacht
    in kaltem Wasser
    eingeweicht

2 EL Weißweinessig

2 TL Zucker

1 Zweig Bohnenkraut

1 EL frisch gehackte Petersilie

125 ml trockener Weißwein

125 ml Wasser

1 mittelgroßer Aal
    (etwa 400 g)

Klößchen

220 g Mehl

etwas Salz

1½ EL Butter

1 Ei

100 ml Wasser

Zubereitung

1 Schinkenschwarte und Markknochen in
einen Suppentopf legen. Kohlrabi, Karotten,
Petersilienwurzel und Blumenkohl zufügen.
Mit Fleischbrühe auffüllen und zum Kochen
bringen. 1 Stunde köcheln lassen.

2 Knochen, Schwarte und Gemüse aus der
Brühe nehmen. Die Schinkenreste von der
Schwarte schneiden und in die Brühe zurück-
geben. Porree, Sellerie und Backobst zufügen.
Mit Weißweinessig und Zucker süßsauer abschmecken. Das Bohnenkraut zugeben und
die Suppe etwa 20 Minuten köcheln lassen.

3 Kurz vor dem Servieren das Bohnenkraut
entfernen und die Petersilie in die Suppe
geben. Inzwischen in einem kleinen Topf
Weißwein mit Wasser aufkochen.

4 Den Aal waschen und in mundgerechte
Stücke schneiden. In den Weißwein legen und
etwa 10 Minuten dünsten. Dann aus dem
Wein nehmen, die Haut abziehen und ent-
gräten. Den Aal zusammen mit dem Kochsud
in die Suppe geben.

5 Für die Klößchen die Zutaten in einer Schüssel vermischen und zu einem Teig verarbeiten. Aus dem Teig walnussgroße Bällchen
formen und diese in einem kleinen Topf 5 Minuten köcheln lassen. Abgießen. Die Suppe
mit den Teigklößchen garnieren und servieren.

Kartoffelsuppe

Zutaten

FÜR 6 PERSONEN

1 EL Butterschmalz

1 Bund Suppengemüse,
    gehackt

1 große Zwiebel, fein gehackt

750 g mehlige Kartoffeln,
    gewürfelt

1 l heiße Fleischbrühe

1 TL Majoran, fein gehackt

Salz und Pfeffer

125 g Sahne

1 EL frisch gehackte Petersilie

Zubereitung

1 Das Butterschmalz in einem großen Topf zerlassen. Suppengemüse und Zwiebel zugeben und dünsten, bis die Zwiebel glasig ist. Die Kartoffeln zufügen und kurz mitdünsten. Mit der Fleischbrühe aufgießen. Mit Majoran, Salz und Pfeffer würzen und 20 Minuten kochen lassen.

2 Die Sahne unterrühren und nach Belieben die Suppe mit dem Pürierstab fein pürieren. Mit Petersilie bestreuen und servieren.

Erbsensuppe

Zutaten

FÜR 4 PERSONEN

400 g getrocknete gelbe
  Erbsen
250 g geräucherter Speck,
  am Stück
2 Zwiebeln, grob gehackt
1 Karotte, in Stücke
  geschnitten
1 Petersilienwurzel, in Stücke
  geschnitten
¼ Sellerieknolle, gehackt
250 g Kartoffeln, gewürfelt
1 kleine Porreestange,
  gehackt
Salz und Pfeffer
1¼ TL frisch gehackter
  Majoran
½ TL frisch gehacktes
  Bohnenkraut
1 TL frisch gehackte Petersilie, zum Garnieren

Zubereitung

1 Die Erbsen über Nacht in 2 l Wasser einweichen. Am nächsten Tag mit der Flüssigkeit
zum Kochen bringen, den Speck und die
Zwiebeln zufügen. Abgedeckt bei mittlerer
Hitze 1 Stunde köcheln lassen.

2 Wurzelgemüse, Kartoffeln und Porree unter
die Erbsen mischen und mit Salz, Pfeffer, Majoran und Bohnenkraut würzen. Den Eintopf
20 Minuten kochen lassen.

3 Vor dem Servieren den Speck herausheben,
in feine Würfel schneiden und unter den
Eintopf mischen. Zum Garnieren mit der
Petersilie bestreuen.

Linsensuppe

Zutaten

FÜR 4 PERSONEN

250 g braune Linsen, über
Nacht eingeweicht, abge-
spült und abgetropft

2 Zwiebeln, fein gehackt

1 Porreestange, in Ringe
geschnitten

1 große Karotte, in Würfel
geschnitten

1 Pastinake, in Würfel
geschnitten

1 kleine Sellerieknolle, in
Würfel geschnitten

1 Selleriestange, in Ringe
geschnitten

1 Petersilienwurzel, fein
gehackt

1 Bund Petersilie, fein
gehackt

2 l Gemüse- oder Fleisch-
brühe

3 EL Butter

3 EL Mehl

Salz und Pfeffer

Weißweinessig

2 Scheiben Speck, in Streifen
geschnitten, zum
Garnieren

Brot, zum Servieren

Zubereitung

1 Linsen, 1 Zwiebel, Porree, Karotte, Pastinake, Sellerie und Petersilie in einen großen
Topf geben, mit der Brühe aufgießen und
etwa 1½ Stunden köcheln lassen, bis die
Linsen gar sind.

2 Die Butter in einem kleinen Topf erhitzen
und die restliche Zwiebel darin goldgelb dünsten. Das Mehl einrühren und unter Rühren
anschwitzen. Etwa 300 ml von der Suppe
abschöpfen und zur Mehlschwitze gießen. So
lange rühren, bis die Mehlschwitze angedickt
ist. Zu der Suppe gießen und alles gut verrühren. Mit Salz und Pfeffer abschmecken und
weitere 30 Minuten leise köcheln lassen.
Nach Geschmack etwas Weißweinessig
unterrühren.

3 In der Zwischenzeit den Speck in eine
Pfanne geben und knusprig anbraten. Die
Suppe auf Suppenschüsseln verteilen, mit
dem Speck garnieren und mit Brot servieren.

Champignoncremesuppe

Zutaten

FÜR 4 PERSONEN

1 EL Butter

1 Schalotte, fein gehackt

500 g Champignons, in
   dünne Scheiben
   geschnitten

3 EL Mehl

750 ml Gemüsebrühe

250 ml Milch

200 g Schlagsahne

Salz und Pfeffer

1 EL frisch gehackte glatte
   Petersilie, zum Garnieren

Zum Servieren

Semmelknödel (s. S. 180,
   nach Belieben)

Brot

Zubereitung

1 Die Butter in einem Topf zerlassen und die Schalotte darin hellbraun anbraten. Die Champignons zugeben und unter Rühren weiterbraten.

2 Den Topf vom Herd nehmen, die Champignons mit 1 Esslöffel Mehl bestäuben, gut verrühren und mit Brühe und Milch ablöschen. Die Suppe 10 Minuten leise köcheln lassen, dabei öfter umrühren, damit sie nicht überkocht.

3 Die Sahne mit 2 Esslöffeln Mehl in einer kleinen Schüssel verquirlen und zur Suppe geben. Nochmals 5 Minuten köcheln lassen (ohne dass sie aufkocht), bis sie eindickt. Mit Salz und Pfeffer abschmecken.

4 Die Suppe auf Schalen verteilen und nach Wunsch in jede Schüssel einen Semmelknödel geben. Mit etwas Petersilie bestreuen und mit Brot servieren.

Tatar

Zutaten

FÜR 4 PERSONEN

300 g Tatar

2 Eigelb

2 TL Olivenöl

30 ml Tomatenketchup

2 Sardellenfilets, fein gehackt

2 TL Kapern, fein gehackt

Pfeffer

Paprikapulver

Worcestershiresauce

4 Scheiben Brot, Kruste
   abgeschnitten

Butter

Zum Servieren

4 TL Kaviar (nach Belieben)

4 EL Zwiebeln, fein gehackt

4 Cornichons

Zubereitung

1 Das Tatar in eine Schüssel geben und mit Eigelb, Öl, Ketchup, Sardellen und Kapern vermengen. Mit Pfeffer und Paprikapulver abschmecken. Worcestershiresauce nach Geschmack zugeben und alles gut verrühren.

2 Das Brot toasten und mit der Butter bestreichen. Das Tatar auf die 4 Brotscheiben verteilen und nach Belieben mit Kaviar garnieren. Gehackte Zwiebeln darüberstreuen. Mit den in Scheiben geschnittenen Cornichons servieren.

Frikadellen

Zutaten

FÜR 4 PERSONEN

1 altbackenes Brötchen

500 g Hackfleisch, halb und
 halb

2 Eier, leicht verquirlt

1 EL frisch gehackte Petersilie

2 Zwiebeln, 1 fein gehackt,
 1 in Ringe geschnitten,
 zum Garnieren

Salz und weißer Pfeffer

1 Prise Muskatnuss

60 g Butter

Zubereitung

1 Das Brötchen in eine Schüssel geben, mit Wasser übergießen und 10 Minuten einweichen lassen.

2 Das Hackfleisch in eine Schüssel geben. Das Brötchen gut ausdrücken und zum Hackfleisch geben. Eier, Petersilie, gehackte Zwiebel, Salz, Pfeffer und Muskatnuss zufügen und alles gut vermengen.

3 Aus der Masse kleine Bällchen formen und diese etwas flach drücken.

4 Die Butter in einer großen Pfanne bei mittlerer Hitze zerlassen. Einige Frikadellen in die Pfanne geben und etwa 5–7 Minuten anbraten, dabei einmal wenden. Während die restlichen Frikadellen braten, die bereits fertigen auf einen Teller legen und im Ofen warm stellen.

5 Sobald alle Frikadellen gebraten sind, die Zwiebelringe in die Pfanne geben und goldbraun rösten. Die Frikadellen auf einer Servierplatte anrichten, die Zwiebelringe darübergeben und servieren.

Ostheimer Leberkäs

Zutaten

FÜR 6 PERSONEN

300 g Schweinefleisch, durch
    den Fleischwolf gedreht
300 g Kalbsleber, durch den
    Fleischwolf gedreht
150 g Schweinebauch, das
    Fett entfernt und in kleine
    Stücke geschnitten
1 EL Butter, plus etwas mehr
    zum Einfetten
1 kleine Zwiebel, fein gehackt
1 Knoblauchzehe, zerdrückt
2 EL frisch gehackte glatte
    Petersilie, plus einige
    Blätter zum Garnieren
1 EL frisch gehackter Majoran
    oder ½ EL getrockneter
    Majoran
½ Ei
2 EL Cognac
Salz und Pfeffer
1 EL Crème fraîche

Zubereitung

1 Den Backofen auf 200 °C vorheizen. Das Fleisch in eine große Rührschüssel geben.

2 Die Butter in einer Pfanne zerlassen und Zwiebel und Knoblauch darin anbraten. Zum Fleisch geben. Petersilie, Majoran, Ei und Cognac hinzufügen und mit Salz und Pfeffer abschmecken. Alles gut vermengen. Die Crème fraîche untermischen und alles zu einer gleichmäßigen Masse verarbeiten.

3 Die Masse in eine gefettete Terrinenform geben und im Wasserbad im Ofen 40–60 Minuten backen, bis die Masse auf der Oberseite leicht gebräunt ist.

4 Den Leberkäse aus der Form nehmen und 5 Minuten abkühlen lassen. Anschließend noch heiß in Scheiben schneiden, mit der Petersilie garnieren und sofort servieren.

Bayrischer Wurstsalat

Zutaten

FÜR 4 PERSONEN

350 g Knackwürstchen oder
   Lyoner Fleischwurst, in feine Scheiben geschnitten
2 Zwiebeln, fein gehackt
4 EL Pflanzenöl
2 EL Weißweinessig
Salz und Pfeffer
1 TL Zucker (nach Belieben)
2 EL Schnittlauch

Zum Garnieren

4 Gewürzgurken, in Scheiben
   geschnitten
Rote Bete aus dem Glas,
   gewürfelt

Zubereitung

1 Die Wurstscheiben in eine Schüssel geben. Zwiebeln, Öl, Essig, Salz und Pfeffer zufügen und alles gut vermengen. Die Schüssel abdecken und 1 Stunde im Kühlschrank durchziehen lassen.

2 Den Salat aus dem Kühlschrank nehmen, nach Belieben Zucker und Schnittlauch einrühren. Gewürzgurke und Rote Bete über den Wurstsalat geben und servieren.

Krautsalat mit Speck

Zutaten

FÜR 6 PERSONEN

1 Weißkohl (800–900 g)

1 EL Salz

3 EL Zucker

1 EL Pfeffer

80 ml Weißweinessig

4 EL Pflanzenöl

½ TL Kümmelpulver (nach
    Belieben)

1 Zwiebel, fein gehackt

200 g geräucherter Speck,
    sehr fein geschnitten

Zubereitung

1 Den Kohl halbieren, äußere Blätter und Strunk entfernen und in feine Streifen hobeln.

2 Salz, Zucker, Pfeffer, Essig, 3 Esslöffel Öl und nach Belieben Kümmelpulver in einer Schüssel gut verrühren und über den Kohl geben. Nach Geschmack auch etwas mehr Essig und Öl zugeben.

3 Das übrige Öl in einer Pfanne erhitzen und Zwiebel und Speck darin knusprig anbraten. Über den Krautsalat geben und alles gut vermengen.

4 Den Krautsalat mindestens 2 Stunden ziehen lassen, dabei regelmäßig umrühren. Falls zu viel Flüssigkeit entsteht, kann diese abgegossen werden.

Kartoffelsalat mit Wiener Würstchen

Zutaten

FÜR 6 PERSONEN

1 kg fest kochende Kartoffeln

250 ml Fleischbrühe

80 ml Weißweinessig

1 TL scharfer Senf

Salz und Pfeffer

4 EL Sonnenblumenöl

1 Zwiebel, fein gehackt

1 Bund Schnittlauch, fein
  gehackt (nach Belieben)

8 Wiener Würstchen

Zubereitung

1 Die Kartoffeln in einen Topf geben, mit Wasser bedecken und in 20 Minuten gar kochen. Abgießen und abkühlen lassen. Die noch warmen Kartoffeln pellen.

2 Die Fleischbrühe in einen Topf geben und erhitzen. Essig, Senf, Salz und Pfeffer zugeben und verrühren. Vom Herd nehmen.

3 Die warmen Kartoffeln in dünne Scheiben schneiden und in eine große Schüssel geben. Die noch warme Brühe darübergießen. Öl, Zwiebel und nach Belieben Schnittlauch dazugeben, mit Salz und Pfeffer abschmecken und sehr vorsichtig vermengen. Mindestens 30 Minuten ziehen lassen.

4 In der Zwischenzeit die Wiener Wüstchen in einem Topf langsam erhitzen (nicht kochen) und jeweils 2 auf einem Teller anrichten. Mit dem Kartoffelsalat servieren.

Spargel klassisch

Zutaten

FÜR 4 PERSONEN

500 g junge Kartoffeln

1 kg weißer Spargel

1 EL Salz

1 EL Zucker

4 Scheiben gekochter
   Schinken

Sauce hollandaise

200 g Butter

3 große Eigelb, mit 2 EL
   Wasser verquirlt

1 TL Zitronensaft

Salz und weißer Pfeffer

1 EL trockener Weißwein

Zubereitung

1 Die Kartoffeln in einen Topf geben, mit Wasser bedecken, aufkochen und 20 Minuten garen.

2 Die holzigen Enden vom Spargel entfernen und die Stiele schälen. Jeweils 6 Spargelstangen mit Küchengarn zu einem Päckchen binden.

3 In einem großen Topf reichlich Wasser erhitzen, Salz und Zucker zugeben. Den Spargel zufügen und etwa 10 Minuten köcheln lassen, bis er gar, aber noch nicht zu weich ist.

4 Für die Sauce die Butter in einem kleinen Topf zerlassen. Das Eigelb in eine ofenfeste Schüssel geben und diese auf einen Topf mit heißem Wasser stellen (darauf achten, dass das Wasser nicht kocht, da sonst die Eier stocken). Nun unter Rühren nach und nach die Butter zu den Eiern gießen. So lange rühren, bis die Sauce andickt. Die Sauce vom Herd nehmen und mit Zitrone, Salz, Pfeffer und Wein abschmecken. Beiseitestellen und etwas abkühlen lassen.

5 Das Garn von den Spargelpäckchen entfernen und jedes Päckchen in eine Scheibe Schinken einrollen. Jeweils eine Portion Spargel und ein paar Kartoffeln auf einen Teller geben, mit Sauce hollandaise übergießen und servieren.

Feldsalat mit Speck

Zutaten

FÜR 4 PERSONEN

1 EL Pflanzenöl

100 g durchwachsener
    Speck, in feine Streifen
    geschnitten

2 EL Kürbiskerne

200 g Feldsalat

200 g Kirschtomaten, halbiert

frisches Brot, zum Servieren

Dressing

2 EL Weißweinessig

1 EL Himbeeressig

2 EL Walnussöl

2 kleine Zwiebeln, sehr fein
    gehackt

Salz und grob gemahlener
    schwarzer Pfeffer

Knoblauch

Zubereitung

1 Das Öl in einer Pfanne erhitzen. Speck und Kürbiskerne zugeben und anrösten. Mit einem Schaumlöffel aus der Pfanne nehmen und abtropfen lassen.

2 Für das Dressing alle Zutaten in eine kleine Schüssel geben und gut verrühren. Feldsalat und Tomaten in eine große Schüssel geben, mit dem Dressing übergießen und vermengen. Speck und Kürbiskerne darübergeben und mit frischem Brot servieren.

Hamburger Fischsalat

Zutaten

FÜR 4 PERSONEN

1 EL Butter

500 g festes Weißfischfilet

125 ml heißes Wasser

5 hart gekochte Eier, 4 in
    Scheiben geschnitten,
    1 geviertelt, zum
    Garnieren

1–2 Gewürzgurken, in dünne
    Scheiben geschnitten

1 EL Kapern

1 gekochte Rote Bete,
    gewürfelt

Dressing

30 ml Mayonnaise

30 g saure Sahne

2 TL Zitronensaft

1 TL Senf

geriebene Muskatnuss

Salz und Pfeffer

Zubereitung

1 Die Butter in einer Pfanne bei mittlerer Hitze zerlassen, die Fischfilets zugeben und ganz kurz anbraten. Das Wasser zugießen, auf die geringste Hitze herunterschalten und 8–10 Minuten ziehen lassen, bis der Fisch gar, aber noch fest ist. Aus der Pfanne nehmen, abtropfen und etwas abkühlen lassen.

2 Für das Dressing alle Zutaten in einer Schüssel verrühren und mit Salz und Pfeffer abschmecken.

3 Die Fischfilets in 2,5 cm große Würfel schneiden und in eine Schüssel geben. In Scheiben geschnittene Eier, Gewürzgurken, Kapern und Dressing zufügen und 30 Minuten ziehen lassen.

4 Den Salat auf 4 Salatteller verteilen und die Rote Bete darübergeben. Jeweils mit 1 Eiviertel garnieren und servieren.

Heringssalat

Zutaten

FÜR 6 PERSONEN

175 g neue Kartoffeln

250 g Heringsfilet, gewürfelt

120 g gekochte Rote Bete,
gewürfelt

½ säuerlicher Apfel, geschält,
entkernt und gewürfelt

1 kleine Zwiebel, sehr fein
gehackt

1 Gewürzgurke, sehr fein
gehackt

1 EL Zucker

1 TL Weißweinessig

150 g saure Sahne

Salz und Pfeffer

3 hart gekochte Eier, geviertelt, zum Garnieren

4 Brötchen, zum Servieren

Zubereitung

1 Die Kartoffeln in einen Topf geben, mit Wasser bedecken, aufkochen und gar kochen.
Abtropfen und etwas auskühlen lassen. Dann
pellen und in Scheiben schneiden.

2 Das Heringsfilet in eine Schüssel geben.
Kartoffeln, Rote Bete, Apfel, Zwiebel und
Gewürzgurke zugeben und vorsichtig ver-
mengen.

3 Zucker, Essig und saure Sahne zufügen, mit
Salz und Pfeffer abschmecken und vorsichtig
verrühren. Die Schüssel abdecken und den
Salat 2–4 Stunden im Kühlschrank ziehen
lassen.

4 Mit den Eivierteln garnieren und mit den
Brötchen servieren.

Krabbencocktail

Zutaten

FÜR 4 PERSONEN

60 g Tomatenketchup

150 g Crème fraîche

1 EL Mayonnaise

1 EL Weinbrand

500 g gekochte kleine
    Garnelen

Salz und Pfeffer

4 Zitronenscheiben, zum
    Garnieren

Zum Servieren

4 Blätter Eisbergsalat

getoastetes Weißbrot

Zubereitung

1 Tomatenketchup, Crème fraîche, Mayonnaise und Weinbrand in eine kleine Schüssel geben und verrühren.

2 Die Krabben abspülen und trocken tupfen. In eine Schüssel geben, das Dressing darübergeben und vermengen. Mit Salz und Pfeffer abschmecken.

3 Die Salatblätter jeweils in eine Schale geben und den Krabbencocktail darauf anrichten. Mit einer Zitronenscheibe garnieren und mit Toast servieren.

Obazda

Zutaten

FÜR 4 PERSONEN

250 g reifer Camembert,
   gewürfelt

3 EL weiche Butter

120 g Frischkäse (Doppel-
   rahmstufe)

1 Zwiebel, sehr fein gehackt

1 EL süßes Paprikapulver,
   plus etwas mehr zum
   Bestäuben

½ TL Kümmel

Salz und weißer Pfeffer

2–4 EL Malzbier

dunkles Brot oder Brezeln,
   zum Servieren

Zubereitung

1 Camembert und Butter in eine Schüssel geben, mit einer Gabel zerdrücken und vermengen. Frischkäse und Zwiebel zufügen und alles gut verrühren.

2 Paprikapulver und Kümmel zugeben, mit Salz und Pfeffer abschmecken und gut vermischen. Das Bier zugießen und alles glatt rühren. Falls die Masse noch nicht streichfähig sein sollte, etwas mehr Bier zugießen.

3 Die Schüssel abdecken und für 1 Stunde in den Kühlschrank stellen. Den Obazda mit etwas Paprikapulver bestreuen und mit Brot oder Brezeln servieren.

Zwiebelkuchen mit Kümmel

Zutaten

FÜR 4 PERSONEN

Teig

2 Päckchen Trockenhefe

2 TL Zucker

125 ml warmes Wasser

115 g warme Butter

1 TL Salz

250 ml heiße Milch

600 g Mehl

1 Ei

4 Eigelb

Öl, zum Einfetten

Belag

2 EL Butter

6 Scheiben Schinkenspeck,
   fein geschnitten

6–10 große Zwiebeln, fein
   gehackt

Salz

2 EL Kümmelsaat

1 EL Mehl

150 g saure Sahne

2 Eier, leicht verquirlt

Zubereitung

1 Hefe und Zucker ins Wasser geben, verrühren und 10 Minuten an einem warmen Ort gehen lassen. Butter, Salz und Milch in einer Schüssel verrühren. Beiseitestellen und etwas abkühlen lassen. Dann 120 g Mehl und die Hefemischung in die Buttermischung einrühren und 30 Minuten gehen lassen. Ei, Eigelb und restliches Mehl zugeben und zu einem weichen Teig vermengen.

2 Den Teig kneten, bis er glatt und elastisch ist. In eine Schüssel geben, abgedecken und 1 Stunde gehen lassen, bis er sein Volumen verdoppelt hat. Dann den Teig nochmals kräftig durchkneten. Eine Tarteform mit Öl einpinseln und den Teig hineindrücken, bis er die Form ausfüllt. Abdecken und 20 Minuten ruhen lassen.

3 Für den Belag die Butter in einer Pfanne zerlassen. Speck, Zwiebeln, etwas Salz und Kümmel zugeben und anbraten. Die Hitze reduzieren und die Zwiebeln glasig dünsten. Erst das Mehl, dann saure Sahne und Eier einrühren und etwas eindicken lassen.

4 Den Backofen auf 200 °C vorheizen. Den Belag auf dem Teig verteilen und 15 Minuten stehen lassen. 30 Minuten im Ofen backen, bis der Belag gestockt und fest ist. In Stücke schneiden und servieren.

Handkäs mit Musik

Zutaten

FÜR 1 PERSON

1 Harzer Käse oder anderer
  reifer Sauermilchkäse,
  etwa 2 cm dick ge-
  schnitten
1 EL Sonnenblumenöl
2 EL Weißweinessig
1 kleine Zwiebel, fein gehackt

Zum Servieren

1 Scheibe Schwarzbrot
Butter

Zubereitung

1 Den Käse in eine kleine Schüssel legen. Öl und Essig verrühren und über den Käse gießen. Die Schüssel abdecken und den Käse 2 Stunden bei Zimmertemperatur ziehen lassen.

2 Den Käse aus der Marinade heben und auf einen Teller legen. Die Zwiebelstückchen darüber verteilen und mit Brot und Butter servieren.

Soleier

Zutaten

FÜR 6 PERSONEN

6 Eier

750 ml Wasser

Schalen von 3 großen
    Zwiebeln

4 EL Salz

10 Pfefferkörner

½ TL Wacholderbeeren

2 Lorbeerblätter

3 TL Senfkörner

Zum Servieren

Senf

Gewürzgurken

Zubereitung

1 Die Eier in einen Topf mit kaltem Wasser geben, aufkochen und bei mittlerer Hitze 9–10 Minuten köcheln lassen. Die Eier aus dem Topf nehmen und unter fließend kaltem Wasser abschrecken.

2 Das abgemessene Wasser in einen Topf geben. Zwiebelschalen, Salz, Pfefferkörner, Wacholderbeeren, Lorbeerblätter und Senfkörner zufügen und 10 Minuten kochen lassen, bis sich das Wasser braun färbt. Vom Herd nehmen und auskühlen lassen.

3 Die Eier ringsherum leicht anklopfen, damit sie ganz feine Risse bekommen. Dann in ein großes Einmachglas geben und mit der Marinade übergießen. Das Glas gut verschließen und die Soleier mindestens 2 Tage ziehen lassen.

4 Zum Servieren die Eier schälen, halbieren und mit Senf und Gewürzgurken auf eine Platte legen.

Kartoffelpuffer

Zutaten

FÜR 4 PERSONEN

1 kg mehlige Kartoffeln, geschält

2 große Zwiebeln

2 Eier

Salz

2 EL Mehl

Pflanzenöl, zum Ausbacken

Zubereitung

1 Kartoffeln und Zwiebeln in eine Schüssel reiben. Falls zu viel Flüssigkeit entstanden ist, die Masse in ein sauberes Geschirrtuch geben und ausdrücken. Eier, Salz und Mehl zufügen und gut vermengen.

2 Etwas Öl in einer großen Pfanne erhitzen. Jeweils 1 gehäuften Esslöffel Kartoffelmasse in das heiße Öl geben, mit dem Löffel flachdrücken und ausbacken. Nicht zu viele Kartoffelpuffer auf einmal ausbacken, da sonst das Öl zu schnell abkühlt. Einmal wenden und so lange backen, bis die Puffer goldbraun sind. Dann aus der Pfanne nehmen und auf Küchenpapier abtropfen lassen. Fertige Puffer im Ofen warm stellen. Warm servieren.

Pfannkuchen

Zutaten

FÜR 4 PERSONEN

250 g Mehl

½ TL Salz

4 Eier

300 ml Milch

100 ml Sprudelwasser

Butter, zum Ausbacken

Zubereitung

1 Mehl und Salz in eine Schüssel sieben.

2 Die Eier verquirlen, die Milch zugießen und gut verrühren. Zur Mehlmischung geben und alles zu einem glatten Teig verarbeiten. Dann das Sprudelwasser unterrühren.

3 In einer Pfanne 2 Esslöffel Butter zerlassen. Ein Viertel des Teigs in die Pfanne geben und diese schwenken, um ihn gut und gleichmäßig zu verteilen.

4 Den Pfannkuchen bei mittlerer Hitze braten, bis er schön goldbraun ist, dann wenden und auf der anderen Seite ausbacken. Auf einen vorgewärmten Teller geben und im vorgeheizten Backofen warm stellen. Die restlichen Pfannkuchen ausbacken, dabei vorher stets etwas Butter in die Pfanne geben. Warm servieren.

Fleisch
& Geflügel

Fleisch spielt in der deutschen Küche eine große Rolle. Das zeigt sich insbesondere bei den klassischen Rezepten in diesem Kapitel – es beginnt mit *Pichelsteiner Eintopf* mit dreierlei Fleisch: Rind, Lamm und Schwein. Unter der Woche kann man den Hunger mit *Gaisburger Marsch, Hackbraten, Schweinshaxe mit Sauerkraut* oder *Falschem Hasen* stillen, während sich für Festessen *Rinderrouladen, Eingemachtes Kalbfleisch* oder *Hahn in Riesling* bestens eignen.

Gebratenes Fleisch erscheint regelmäßig auf deutschen Tafeln – vielleicht wollten Sie schon immer einmal wissen, wie man *Kasseler mit Püree, Ente mit Rosenkohl* oder *Gans mit einer Füllung aus Äpfeln und Kastanien* selbst zubereitet. Um eine köstliche knusprige Kruste zu erhalten, darf man nicht vergessen, das Fleisch während des Bratens im Ofen ständig mit Flüssigkeit zu übergießen.

Einige Rezepte wollen langfristig geplant sein, da das Fleisch mehrere Stunden oder Tage im Voraus marinieren muss. *Wildschwein in Burgunder* braucht nur zwölf Stunden Marinierzeit, hingegen sind *Rheinischer Sauerbraten* und *Rehschäufele in Wacholderrahm* erst nach vier Tagen wirklich perfekt. Deshalb sollte man eine gute Sonntagsmahlzeit möglichst schon in der Wochenmitte vorbereiten.

Pichelsteiner Eintopf

Zutaten

FÜR 4 PERSONEN

300 g Rindfleisch aus der
   Schulter, in 2,5 cm große
   Würfel geschnitten

300 g Lammfleisch, in 2,5 cm
   große Würfel geschnitten

300 g Schweineschnitzel, in
   2,5 cm große Würfel
   geschnitten

Salz und Pfeffer

1 EL Schweineschmalz

3 Zwiebeln, gehackt

½ TL getrockneter Majoran

300 g Kartoffeln, in 2,5 cm
   dicke Würfel geschnitten

200 g Sellerie, in 2,5 cm
   große Würfel geschnitten

250 g Karotten, in dicke
   Scheiben geschnitten

1 Petersilienwurzel, in
   Scheiben geschnitten

250 g Porree, in Ringe
   geschnitten

600 ml Rinderbrühe

300 g Wirsing, die äußeren
   harten Blätter und Stiele
   entfernt und grob gehackt

2 EL frisch gehackte
   Petersilie, zum Garnieren

Zubereitung

1 Das Fleisch großzügig mit Salz und Pfeffer würzen. Das Schmalz in einer großen Pfanne bei mittlerer Hitze auslassen. Zwiebeln und Fleisch zugeben und unter Rühren anbraten, bis das Fleisch Farbe angenommen hat.

2 Majoran, Kartoffeln, Sellerie, Karotten, Petersilienwurzel und Porree zugeben, die Pfanne abdecken und 15 Minuten bei gelegentlichem Rühren schmoren lassen.

3 Die Brühe zugießen und zum Kochen bringen. Abdecken, die Hitze auf niedrigste Stufe reduzieren und 1 Stunde lang leise köcheln lassen. Den Wirsing zugeben und weitere 30 Minuten köcheln lassen. Nochmals mit Salz und Pfeffer abschmecken, mit Petersilie bestreuen und servieren.

Gaisburger Marsch

Zutaten

FÜR 4 PERSONEN

1 kg Tafelspitz

2 Suppenknochen

2 Markknochen

1 große Zwiebel, mit 4 Nelken gespickt

1 Bund Suppengemüse, grob gehackt

1 Lorbeerblatt

2 TL Salz

10 Pfefferkörner

1,5 l heißes Wasser

450 g Kartoffeln, in grobe Stücke geschnitten

2 Karotten, in Stücke geschnitten

1 Porreestange, in Ringe geschnitten

1 EL Butter

1 große Zwiebel, in Ringe geschnitten

250 g Spätzle, nach Packungsanleitung gegart

Salz und Pfeffer

geriebene Muskatnuss

2 EL frisch gehackte Petersilie, zum Garnieren

Zubereitung

1 Fleisch, Knochen, Zwiebel, Suppengemüse, Lorbeer, Salz und Pfefferkörner in einen großen Topf geben. Das Wasser zugießen und zum Kochen bringen. Den Topf bedecken und etwa $1\frac{1}{2}$ Stunden bei geringster Hitze köcheln lassen, dabei gelegentlich den Schaum abschöpfen.

2 Das Fleisch aus dem Sud heben und auf einen Teller legen. Die Suppe durch ein Sieb in eine Schüssel gießen. Die Brühe zurück in den Topf geben, Kartoffeln, Karotten und Porree zufügen und aufkochen lassen. Auf mittlere Hitze reduzieren und so lange köcheln lassen, bis die Kartoffeln gar sind.

3 Die Butter in einer Pfanne auslassen, die Zwiebelringe zugeben und goldbraun dünsten. Das Fleisch in große Würfel schneiden. Fleisch, Zwiebelringe und Spätzle zur Brühe in den Topf geben. Mit Salz, Pfeffer und Muskatnuss abschmecken und nochmals kurz aufkochen lassen. Mit Petersilie bestreuen und heiß servieren.

Rinderrouladen mit Rotkohl

Zutaten

FÜR 6 PERSONEN

4 Rinderrouladen

Salz und Pfeffer

2 TL Paprikapulver

3 EL Dijon-Senf

4 Scheiben Schinkenspeck

2 Zwiebeln, 1 fein gehackt,
    1 in dünne Ringe
    geschnitten

50 g Butterschmalz

2 Karotten, halbiert und in
    Scheiben geschnitten

1 Selleriestange, in dünne
    Scheiben geschnitten

1 kleine Porreestange, nur
    das weiße, in dünne Ringe
    geschnitten

1 EL Tomatenmark

100 ml Rotwein

350 ml Fleischbrühe

Zum Servieren

Rotkohl (s. S. 160)

Kartoffelklöße (s. S. 152, nach
    Belieben)

Zubereitung

1 Die Rinderrouladen ausbreiten und mit Salz, Pfeffer und Paprikapulver würzen. Dann jeweils auf einer Seite mit Senf bestreichen und mit 1 Scheibe Schinken belegen. Etwas gehackte Zwiebel darauf verteilen, aufrollen und mit Küchengarn zusammenbinden.

2 Das Butterschmalz in einer großen Pfanne erhitzen und die Rouladen darin von allen Seiten scharf anbraten. Sobald sie von allen Seiten gut gebräunt sind, die Rouladen aus der Pfanne nehmen und den größten Teil des Fettes entsorgen. Nun das Gemüse in die heiße Pfanne geben und kurz anbraten. Das Tomatenmark unterrühren und kurz mitbraten. Mit dem Rotwein ablöschen und den Bratensatz von der Pfanne lösen. Die Brühe zugießen und aufkochen lassen. Dann die Rouladen wieder in die Pfanne geben, die Hitze auf geringste Stufe reduzieren und alles etwa $1\frac{1}{2}$ Stunden köcheln lassen, bis das Fleisch gar ist.

3 Die Sauce nach Belieben mit dem Pürierstab bearbeiten. Die Rouladen mit Rotkohl und nach Belieben mit Klößen servieren.

Rheinischer Sauerbraten

Zutaten
FÜR 8 PERSONEN

2 kg magerer
   Rinderschmorbraten
Salz und Pfeffer
4 EL Butterschmalz
100 g Rosinen
2 EL Rübenkraut

Marinade
500 ml trockener Rotwein
125 ml Rotweinessig
250 ml Wasser
2 große Zwiebeln, in Ringe
   geschnitten
1 Bund Suppengemüse,
   gehackt
2 Lorbeerblätter
2 Nelken
1 TL Senfkörner
1 TL schwarze Pfefferkörner,
   leicht zerdrückt
1 TL Wacholderbeeren, leicht
   zerdrückt
3 Pimentkörner, leicht
   zerdrückt

Zum Servieren
Kartoffelklöße (s. S. 152)
Rotkohl (s. S. 160)

Zubereitung

1 Für die Marinade alle Zutaten in einen Topf geben, kurz aufkochen und abkühlen lassen. Das Fleisch in die Flüssigkeit legen und darauf achten, dass es gut bedeckt ist. Die Schüssel abdecken und mindestens 2 Tage oder bis zu 1 Woche an einem kühlen Ort marinieren. Dabei das Fleisch mehrmals in der Marinade wenden und darauf achten, dass es gut bedeckt bleibt.

2 Das Fleisch aus der Marinade nehmen, trocken tupfen und salzen und pfeffern. Die Marinade durch ein Sieb in eine Schüssel seihen. Das Gemüse und die Gewürze beiseitestellen.

3 Das Butterschmalz in einem großen Bräter erhitzen und das Fleisch von allen Seiten scharf anbraten. Dann das Gemüse aus der Marinade zugeben. Nach und nach die Marinade zugießen und den Bratensatz vom Boden lösen. Den Bräter abdecken. Die Hitze auf kleinste Stufe reduzieren und 2 Stunden köcheln lassen, bis das Fleisch gar ist. Das Fleisch herausheben, auf einer Platte anrichten und in Scheiben schneiden. Die Sauce durch ein Sieb passieren. Dann nochmals in den Bräter geben, Rosinen und Rübenkraut einrühren, mit Salz und Pfeffer würzen und etwas einkochen.

4 Den Sauerbraten mit der Sauce, Rotkohl und Klößen servieren.

Gulasch

Zutaten

FÜR 4 PERSONEN

750 g Rinder- oder Kalbs-
   gulasch
Salz und Pfeffer
3 EL Butterschmalz
1 kleine Dose Tomatenmark
500 g Zwiebeln, grob gehackt
2 Karotten, in Scheiben
   geschnitten
450 g Kartoffeln, in dicke
   Scheiben geschnitten
1–2 EL Paprikapulver,
   edelsüß
1 TL Cayennepfeffer
250 ml Rotwein
400 ml Rinderbrühe
1 Lorbeerblatt
2 EL frisch gehackte
   Petersilie, zum Garnieren
Brot, zum Servieren

Zubereitung

1 Das Fleisch in eine Schüssel geben, mit Salz und Pfeffer würzen und gut vermengen. Das Butterschmalz in einem Bräter erhitzen und das Fleisch darin scharf anbraten. Das Fleisch aus dem Bräter nehmen und beiseitestellen. Das Tomatenmark in den Bräter geben und kurz anbraten, dann Zwiebeln, Karotten und Kartoffeln zufügen und unter Rühren weiter-garen.

2 Das Fleisch zugeben, mit Paprikapulver und Cayennepfeffer bestäuben und gut verrühren. Dann mit dem Rotwein und der Brühe ab-löschen und das Lorbeerblatt zugeben. Den Topf abdecken und die Hitze auf die geringste Stufe reduzieren. Mindestens 1½ Stunden köcheln lassen, bis das Fleisch ganz zart ist.

3 Nochmals mit Salz, Paprikapulver oder Cayennepfeffer abschmecken, mit der Peter-silie garnieren und mit Brot servieren.

Berliner Kalbsleber

Zutaten
FÜR 4 PERSONEN

4 Scheiben Kalbsleber
   (à 150 g)
2 EL Mehl
50 g Butter
Salz und frisch gemahlener
   weißer Pfeffer
2 große Zwiebeln, in Ringe
   geschnitten
2 Äpfel, geschält, entkernt,
   halbiert und in Scheiben
   geschnitten

Zum Servieren
gekochter Rotkohl (s. S. 160)
Kartoffelpüree (s. S. 86)

Zubereitung

1 Die Leber trocken tupfen und in dem Mehl wenden. Die Hälfte der Butter in einer Pfanne erhitzen, die Leber zugeben und bei mittlerer Hitze von beiden Seiten in 3 Minuten goldbraun anbraten. Dabei mit Salz und Pfeffer würzen. Die Leber herausnehmen, auf einen Teller geben, abdecken und warmstellen.

2 Die übrige Butter in die Pfanne geben und erhitzen. Die Zwiebelringe hineingeben, salzen, pfeffern und goldgelb anbraten. Mit einem Schaumlöffel aus der Pfanne nehmen, auf einen Teller geben und beiseitestellen.

3 Nun die Apfelscheiben in die Pfanne geben, kurz anbraten und vom Herd nehmen. Die Leber auf Tellern anrichten, mit den Apfelscheiben und Zwiebeln belegen und mit Rotkohl und Kartoffelpüree servieren.

Hackbraten

Zutaten

FÜR 4 PERSONEN

2 EL Butter

1 große Zwiebel, fein gehackt

1 Knoblauchzehe, fein
gehackt

800 g gemischtes Hackfleisch
(vom Rind, Schwein und
Kalb)

4 EL frisch gehackte Petersilie, plus etwas mehr zum
Garnieren

2 Eier, leicht verquirlt

120 g altbackenes Weißbrot,
in Würfel geschnitten, in
etwas Milch eingeweicht
und gut ausgedrückt

Salz und Pfeffer

¼ TL geriebene Muskatnuss

1 TL frisch gehackter
Thymian

Mehl, zum Bestäuben

2 EL Butterschmalz

100 g durchwachsener
Speck, in Scheiben
geschnitten

300 ml Rinder- oder
Gemüsebrühe

125 g saure Sahne

2 TL Speisestärke, in 2 TL
Wasser aufgelöst

Zubereitung

1 Die Butter in einer Pfanne erhitzen und die
Zwiebel darin glasig dünsten. Den Knoblauch
zugeben und kurz mit andünsten. Vom Herd
nehmen und abkühlen lassen.

2 Den Backofen auf 200 °C vorheizen. Das
Hackfleisch in eine Schüssel geben und mit
Zwiebel, Petersilie, Eiern und Brot gut vermengen. Mit Salz, Pfeffer, Muskatnuss und
Thymian kräftig würzen und zu einem Braten
formen. Von allen Seiten mit etwas Mehl
bestäuben. In einem Schmortopf mit Deckel
etwas Butterschmalz auslassen und den
Hackbraten vorsichtig von allen Seiten
anbraten.

3 Die Oberseite des Hacklaibes mit den
Speckscheiben belegen. Mit 200 ml Brühe
aufgießen, in den Ofen stellen, abdecken und
40 Minuten schmoren lassen, dabei gelegentlich mit der Brühe und dem Bratensaft übergießen. Dann die restliche Brühe zufügen,
den Deckel entfernen und weitere 20 Minuten
schmoren.

4 Den Braten aus dem Topf nehmen und den
Bratensatz durch Rühren vom Boden lösen.
Die saure Sahne zugeben und mit der Sauce
verrühren. Falls die Sauce zu dünn ist, mit der
Speisestärke andicken. Den Hackbraten in
dicke Scheiben schneiden, mit der Petersilie
garnieren und mit der Sauce servieren.

Kohlrouladen

Zutaten

FÜR 4 PERSONEN

1 großer Wirsing, etwa 1,2 kg, die äußeren Blätter entfernt (ersatzweise Weißkohl)

1 Schüssel Eiswasser

3 EL Butter

500 ml Rinderbrühe

150 g Créme fraîche oder Schmand

Salz und Pfeffer

1–2 TL Speisestärke (nach Bedarf)

Füllung

900 g Hackfleisch, halb und halb

Salz und Pfeffer

120 g Langkornreis, fast gar gekocht und abgetropft

1 große Zwiebel, fein gehackt

2 EL frisch gehackte Petersilie

Salzkartoffeln, zum Servieren

Zubereitung

1 Für die Füllung alle Zutaten in eine Schüssel geben, gut vermengen und beiseitestellen.

2 Vom Wirsing vorsichtig 12 Blätter ablösen. Einen großen Topf zur Hälfte mit Salzwasser füllen und zum Kochen bringen. Die Wirsingblätter darin etwa 2 Minuten blanchieren, in Eiswasser abschrecken und abtropfen lassen.

3 Jeweils 1 Wirsingblatt auf die Arbeitsfläche legen. 1 gehäuften Esslöffel der Füllung auf das Blattende geben, die Seiten in die Mitte schlagen und fest aufrollen. Mit den übrigen Blättern wiederholen.

4 Die Butter in einem großen Topf erhitzen und die Rouladen mit der offenen Seite nach unten in den Topf legen und etwa 3 Minuten anbraten. Dann die Rouladen wenden und nochmals 3 Minuten anbraten. Mit der Brühe übergießen, die Hitze reduzieren und etwa 45 Minuten köcheln lassen, bis alles gar ist.

5 Die Rouladen aus dem Topf nehmen, auf einen Teller legen und warm stellen. Créme fraîche oder Schmand in die Brühe einrühren und mit Salz und Pfeffer abschmecken. Falls die Sauce zu dünn ist, etwas Speisestärke mit 2 Esslöffeln Brühe anrühren, in die Sauce geben und gut verrühren. Die Wirsingrouladen auf einem Teller anrichten, mit Sauce übergießen und servieren. Dazu passen Salzkartoffeln.

Eingemachtes Kalbfleisch

Zutaten

FÜR 4 PERSONEN

800 g Kalbfleisch aus der
　　Schulter
Salz und Pfeffer
3 EL Butterschmalz
1 Zwiebel, fein gehackt
1 Bund Suppengemüse, grob
　　gehackt
250 ml Kalbsbrühe
1 Lorbeerblatt
3 Nelken
200 g Sahne
2 EL Butter
2 EL Mehl
1 EL Kapern
2 Eigelb
Zucker, zum Abschmecken
Kartoffelpüree (s. S. 86), zum
　　Servieren

Zubereitung

1 Das Fleisch in eine Schüssel geben, gut mit Salz und Pfeffer würzen. Das Butterschmalz in einer großen Pfanne erhitzen, das Fleisch zugeben und scharf anbraten. Das Fleisch aus der Pfanne nehmen und beiseitestellen.

2 Zwiebel und Suppengemüse in die heiße Pfanne geben und ein paar Minuten dünsten. Das Fleisch wieder zufügen, nochmals erhitzen und mit der Brühe ablöschen. Lorbeerblatt und Nelken zugeben und den Topf abdecken. Die Hitze reduzieren und etwa 45 Minuten unter gelegentlichem Rühren schmoren lassen, bis das Fleisch ganz zart ist. Lorbeerblatt und Nelken entfernen, die Sahne einrühren und etwas einkochen lassen.

3 In einem kleinen Topf aus der Butter und dem Mehl eine Mehlschwitze herstellen. In den Fleischtopf geben und die Sauce damit binden. Die Kapern zugeben. Nun das Eigelb einrühren und mit Salz, Pfeffer und etwas Zucker abschmecken. Mit dem Kartoffelpüree servieren.

Jägerschnitzel

Zutaten

FÜR 4 PERSONEN

4 große Kalbsschnitzel
  (à 175 g)
Salz und Pfeffer
2 Eier, verquirlt
220 g Semmelbrösel
4 EL Mehl
4 EL Sonnenblumenöl
neue Kartoffeln, gekocht und
  halbiert, nach Wunsch
  angebraten

Jägersauce

1 EL Butter
3 Scheiben Speck
1 große Zwiebel, fein gehackt
450 g braune Champignons,
  in dünne Scheiben
  geschnitten
2 EL Tomatenmark
250 ml Wasser
250 ml Weißwein
1 Prise getrockneter Thymian
2 TL Paprikapulver
Salz und Pfeffer
2 EL frisch gehackte Petersilie
60 g Sahne

Zubereitung

1 Mit einem Fleischklopfer die Schnitzel etwas ausdünnen und mit Salz und Pfeffer würzen. Auf einen Teller die verquirlten Eier geben, auf einem weiteren Teller Semmelbrösel und Mehl verrühren. Die Schnitzel zuerst durch die Eier, dann durch die Mehlmischung ziehen.

2 Das Öl in einer Pfanne erhitzen und die Schnitzel darin 4–5 Minuten braten, dabei einmal wenden. Aus der Pfanne nehmen und auf Küchenpapier abtropfen lassen. Abdecken und warm stellen.

3 Für die Sauce die Butter in einer sauberen Pfanne zerlassen und Speck und Zwiebeln goldbraun andünsten. Die Pilze zufügen und so lange anbraten, bis sie gar sind. Das Tomatenmark einrühren und Wasser und Wein zugießen. Thymian und Paprikapulver zugeben und mit Salz und Pfeffer würzen. Einmal aufkochen lassen, die Hitze reduzieren und 5 Minuten köcheln lassen, bis die Sauce etwas andickt.

4 Petersilie und Sahne einrühren und noch ein paar Minuten einkochen lassen. Die Schnitzel auf Tellern mit den Kartoffeln anrichten und mit der Jägersauce servieren.

Rehschäufele in Wacholderrahm

Zutaten

FÜR 4 PERSONEN

1 kg Rehschäufele (Vorderschlegel)

700 ml Rotwein

Salz und Pfeffer

3 EL Öl

500 g Suppengemüse, grob gehackt

500 g Tomaten

100 g Mehl

250 ml Brühe

200 g saure Sahne

2 EL Doppelwacholder

Brunnenkresse oder Petersilie, zum Garnieren

Zubereitung

1 Den Vorderschlegel vom Metzger in etwa 250 g schwere Stücke hacken lassen und mindestens 3 Tage im Kühlschrank in Rotwein marinieren.

2 Den Backofen auf 200 °C vorheizen. Das Fleisch aus der Marinade nehmen, gut abtropfen lassen und die Marinade aufbewahren. Das Fleisch mit Salz und Pfeffer würzen und in einem Bräter scharf anbraten. Nun das Suppengemüse und die Tomaten zugeben. Den Braten mit Mehl bestäuben, mit der Rotweinmarinade ablöschen und die Brühe zugießen. In den Ofen geben und 45 Minuten, oder so lange schmoren, bis das Fleisch gar ist. Dann aus dem Ofen nehmen, das Fleisch in Alufolie eingewickelt auf eine Servierplatte legen und 10 Minuten ruhen lassen.

3 Für die Sauce den Bratensatz mit der sauren Sahne abziehen und mit Salz, Pfeffer und Doppelwacholder abschmecken. Den Braten mit Brunnenkresse oder Petersilie garnieren und servieren.

Wildschwein in Burgunder

Zutaten

FÜR 4 PERSONEN

1,3 kg Wildschweinbraten
   ohne Knochen
Salz und frisch gemahlener
   weißer Pfeffer
4 EL Sonnenblumenöl
1 EL Speisestärke, in
   1 EL Wasser aufgelöst
gekochter Wirsing, zum
   Servieren

Marinade

1 Bund Suppengemüse, grob
   gehackt
1 große Zwiebel, grob gehackt
3 Stängel Thymian, fein
   gehackt
1 TL Pfefferkörner
2 Lorbeerblätter
1 TL Wacholderbeeren
125 ml Rotweinessig
750 ml roter Burgunder

Zubereitung

1 Den Braten in eine große Schüssel legen, alle Zutaten für die Marinade zugeben und darauf achten, dass das Fleisch gut bedeckt ist. Die Schüssel abdecken und mindestens 24 Stunden, besser aber 3 Tage, im Kühlschrank marinieren. Dabei zweimal am Tag das Fleisch wenden.

2 Das Fleisch aus der Marinade nehmen, trocken tupfen und mit Salz und Pfeffer würzen. Die Marinade durch ein Sieb in eine Schüssel passieren. Den Backofen auf 200 °C vorheizen.

3 Das Öl in einem Bräter erhitzen und das Fleisch darin von allen Seiten scharf anbraten. Mit der Marinade ablöschen, die Hitze auf die geringste Stufe reduzieren und den Bräter abdecken. Etwa 2 Stunden köcheln lassen, bis das Fleisch zart ist. In dicke Scheiben schneiden und auf einer Servierplatte mit dem gekochten Wirsingkohl anrichten.

4 Die Schmorflüssigkeit durchseihen, abschmecken und mit der Speisestärke binden. Als Sauce zum Fleisch servieren.

Eisbein mit Sauerkraut

Zutaten

FÜR 4 PERSONEN

3 l Wasser

4 gepökelte Eisbeine
   (à 400 g), abgespült und
   abgetropft

2 große Zwiebeln, geviertelt

3 Lorbeerblätter

12 Pfefferkörner, leicht
   zerdrückt

5 Wacholderbeeren

1½ TL Zucker

Zum Servieren

Sauerkraut (s. S. 158)

Erbsenpüree (s. S. 176)

Zubereitung

1 Das Wasser in einem großen Topf zum Kochen bringen und die Eisbeine zugeben. Zwiebeln, Lorbeerblätter, Pfefferkörner, Wacholderbeeren und Zucker zufügen. Den Topf abdecken und bei geringer Hitze 1½ Stunden köcheln lassen, bis das Fleisch zart ist, aber nicht vom Knochen fällt.

2 Sauerkraut und Erbsenpüree auf 4 Teller verteilen. Die Eisbeine darauf platzieren und servieren.

Kassler mit Püree

Zutaten

FÜR 6 PERSONEN

1 kg Kassler-Rücken, vom
    Metzger ausgelöst
1 Zwiebel, fein gehackt
2 TL Speisestärke, in
    2 TL Wasser aufgelöst
3 EL Semmelbrösel, in 1 EL
    Butter angebräunt
frisches Brot, zum Servieren

Kartoffelpüree

900 g Kartoffeln
Salz
250 ml heiße Milch
2 EL Butter
Pfeffer
geriebene Muskatnuss

Zubereitung

1 Den Backofen auf 190 °C vorheizen. Den rohen Kassler mit der Fettseite nach oben auf ein tiefes Backofenblech legen. Die Zwiebel rundherum verteilen und gerade so viel Wasser zugießen, dass der Boden des Bleches bedeckt ist. 1½ Stunden im Ofen rösten, bis das Fleisch gar ist. Dabei immer wieder etwas Wasser zugießen.

2 Die Kartoffeln in einen großen Topf geben und mit Wasser bedecken. Salz zugeben und aufkochen. So lange kochen, bis die Kartoffeln gar sind. Dann das Wasser abgießen und die Kartoffeln pellen. Zurück in den Topf geben und mit einem Kartoffelstampfer zerstampfen. Milch und Butter zugeben und verrühren. Mit Salz, Pfeffer und Muskatnuss abschmecken.

3 Das Fleisch aus dem Ofen nehmen und 10 Minuten abkühlen lassen. Etwas Wasser auf das Backblech gießen und den Bratensatz lösen. Den Bratensatz in einen kleinen Topf geben und erhitzen. Die Speisestärke einrühren und so lange unter Rühren köcheln lassen, bis alles etwas eindickt. Dann mit Salz und Pfeffer abschmecken.

4 Den Kassler in Scheiben schneiden und mit der Sauce und dem Kartoffelpüree auf Tellern anrichten. Mit den Semmelbröseln bestreuen und mit Brot servieren.

Schweinebraten mit Rosenkohl

Zutaten

FÜR 4 PERSONEN

1,5 kg Schweinerollbraten mit
  Schwarte
2 EL Sonnenblumenöl
Salz und Pfeffer
1 TL Kümmelsaat
4 Zwiebeln, fein gehackt
2 Karotten, in dünne
  Scheiben geschnitten
1 Porreestange, in Ringe
  geschnitten
125 ml dunkles Bier
125 ml Wasser
4 TL Speisestärke, in etwas
  Wasser aufgelöst
150 g Schlagsahne (nach
  Belieben)
gekochter Rosenkohl, zum
  Servieren

Zubereitung

1 Den Schweinebraten mit Öl, Salz, Pfeffer und Kümmel einreiben und 15–30 Minuten ziehen lassen.

2 Den Backofen auf 180 °C vorheizen. Zwiebeln, Karotten und Porree in einen Bräter geben. Das Fleisch mit der Schwarte nach unten darauflegen und mit Bier und Wasser aufgießen. Etwa 1 Stunde im Ofen garen. Gegebenenfalls etwas Wasser nachgießen.

3 Aus dem Ofen nehmen, das Fleisch umdrehen und die Schwarte rautenförmig einschneiden. Die Hitze auf 160 °C reduzieren. Mit der Schwarte nach oben etwa 45 Minuten garen. Dabei nochmals etwas Wasser zugießen. Falls die Schwarte nach Ende der Garzeit noch nicht knusprig genug ist, den Ofen auf 250 °C hochschalten und den Braten weitere 10 Minuten knusprig backen.

4 Den Braten aus dem Ofen nehmen und warm stellen. Den Bratensatz mit etwas Wasser ablöschen, lösen und durch ein Sieb in einen Topf streichen. Die Speisestärke einrühren und die Sauce etwas eindicken. Nach Geschmack noch etwas Schlagsahne zugeben. Den Braten auf einer Servierplatte anrichten. Mit der Sauce und Rosenkohl servieren.

Bratwurst mit bayrischem Kraut

Zutaten

FÜR 4 PERSONEN

1 Weißkohl (etwa 1 kg)

2 EL Schweineschmalz

1 EL Zucker

1 große Zwiebel, fein gehackt

500 ml Fleischbrühe

Pfeffer

1 TL Kümmelsaat

Salz

2–3 EL Weißweinessig

1 EL Butterschmalz

4 Bratwürste

Zubereitung

1 Den Weißkohl halbieren, den Strunk herausschneiden und den Kohl entweder mit dem Krauthobel in Streifen oder einem Messer in Rauten schneiden.

2 Das Schweineschmalz in einem Topf erhitzen, den Zucker zugeben und ganz kurz anrösten. Die Zwiebel zufügen und kurz anbraten. Den Kohl unterheben und mit der Fleischbrühe ablöschen. Etwas Pfeffer und Kümmel zugeben und unter mehrmaligem Rühren etwa 1 Stunde bei geringer Hitze köcheln lassen. Dabei, nach Bedarf, noch etwas Wasser oder Fleischbrühe nachgießen, damit nichts anbrennt. Sobald das Kraut weich ist, mit Salz und Essig würzen.

3 Das Butterschmalz in einer Pfanne bei mittlerer Hitze auslassen und die Bratwürste von jeder Seite etwa 3 Minuten anbraten.

4 Das bayrische Kraut auf Tellern anrichten, die Bratwürste darüberlegen und servieren.

Hase im Rotweintopf

Zutaten

FÜR 4 PERSONEN

1 junger Hase, etwa 2 kg,
    Knochen entfernt und in
    Portionsstücke zerlegt
500 g Schweinebauch, in
    mundgerechte Stücke
    geschnitten
1 EL Butterschmalz
2 Zwiebeln, fein gehackt
100 g durchwachsener
    Speck, in Scheiben
    geschnitten
200 g Pumpernickel,
    zerbröselt
trockener Rotwein
1 Thymianzweig
2 EL Mehl

Marinade

3 große Zwiebeln, geviertelt
2 Knoblauchzehen, halbiert
1 EL Wacholderbeeren
1 l trockener Rotwein
Salz und Pfeffer

Zubereitung

1 Das Hasenfleisch in einen Steinguttopf schichten. Die Marinadenzutaten zugeben und darauf achten, dass das Fleisch gut bedeckt ist. Den Topf abdecken und das Fleisch 2 Tage im Kühlschrank marinieren.

2 Das Schmalz in einer Pfanne auslassen und die Zwiebeln darin goldgelb dünsten. Beiseitestellen. Den Boden einer Auflaufform mit Deckel mit den Speckscheiben auslegen. Einige Hasenstücke aus der Marinade nehmen und auf dem Speck verteilen. Einige gedünstete Zwiebeln und Pumpernickelbrösel daraufgeben und mit einer Lage Schweinebauch belegen. Auf diese Weise schichten, bis alles aufgebraucht ist.

3 Die Marinade durch ein Sieb in eine Schüssel abgießen und über den geschichteten Hasen geben. Mit so viel Rotwein aufgießen, dass alles gut bedeckt ist. Den Thymianzweig drauflegen und die Form abdecken.

4 Den Backofen auf 180 °C vorheizen. Das Mehl mit sehr wenig Wasser anrühren, bis eine dicke Paste entstanden ist. Mit dieser den Deckel der Form von außen versiegeln. Die Form in den Ofen schieben und 2 Stunden backen. Nach der ersten Stunde die Hitze auf 160 °C reduzieren. Den Teigrand von der Form entfernen, den Deckel abnehmen und den Hasen im Topf servieren.

Königsberger Klopse

Zutaten

FÜR 4 PERSONEN

1 EL Butter

2 kleine Zwiebeln, gehackt

500 g Kalbshack oder Hackfleisch, halb und halb

2 altbackene Brötchen, in
Wasser eingeweicht und
gut ausgedrückt

2 kleine Eier

3 EL Semmelbrösel

abgeriebene Zitronenschale
von ½ Zitrone

3–4 Sardellenfilets, gehackt

1½ TL frisch gehackter
Majoran

Salz und weißer Pfeffer

Brühe

1 l Fleischbrühe

1 Lorbeerblatt

1 TL Piment

1 Zwiebel, geviertelt

Sauce

2 EL Butter

2 EL Mehl

100 ml Weißwein

1 EL mittelscharfer Senf

3 EL kleine Kapern

2 EL Zitronensaft

1 Prise Zucker

100 g Schmand

2 Eigelb

Zubereitung

1 Für die Klopse die Butter in einer Pfanne zerlassen und die Zwiebeln darin glasig dünsten. In eine Schüssel füllen. Alle weiteren Zutaten für die Klopse zugeben, mit Salz und weißem Pfeffer abschmecken und vermengen, bis eine geschmeidige Masse entsteht. Daraus Klopse formen und beiseitestellen.

2 Für die Brühe alle Zutaten in einen großen Topf geben und aufkochen lassen, dann die Hitze reduzieren. Die Klopse in die Brühe geben und 10–15 Minuten bei schwacher Hitze garen. Vom Herd nehmen und mit einem Schaumlöffel die Klopse aus der Brühe nehmen und warm stellen. Die Brühe in eine Schüssel abseihen und 500 ml aufbewahren.

3 Für die Sauce die Butter in einem Topf zerlassen, das Mehl einrühren und anschwitzen. Mit der Brühe und dem Wein ablöschen und Senf, Kapern, Zitronensaft und Zucker einrühren. Die Hitze auf geringste Stufe reduzieren, den Schmand zugeben und 5 Minuten ziehen lassen. Die Hitze abschalten. Das Eigelb mit etwas Wasser verquirlen, in den nicht mehr kochenden Sud geben und gut verrühren. Mit Salz und weißem Pfeffer abschmecken.

4 Die Klopse in die Sauce geben und etwa 10 Minuten ziehen lassen. Mit Bandnudeln, Kartoffeln oder Reis servieren.

Huhn in Riesling

Zutaten

FÜR 4 PERSONEN

70 g Butter

1 küchenfertiges Hähnchen,
    in 8 Portionsstücke zerteilt

Salz und Pfeffer

1 Zwiebel, fein gehackt

200 g Champignons, in
    Scheiben geschnitten

350 ml Riesling

1 Thymianzweig

50 g saure Sahne

Zitronensaft

frisch gehackter Estragon

Reis, zum Servieren

Zubereitung

1 Die Butter in einer Pfanne erhitzen. Die Hähnchenstücke salzen und pfeffern und in die Pfanne geben. Von allen Seiten goldbraun anbraten. Aus der Pfanne nehmen und beiseitestellen.

2 Zwiebel und Champignons in die noch heiße Pfanne geben und 5 Minuten andünsten. Die Hähnchenstücke wieder zugeben und mit dem Riesling ablöschen. Den Thymianzweig zufügen und auf geringe Hitze reduzieren. Die Pfanne abdecken und das Hähnchen 30 Minuten köcheln lassen.

3 Die Hähnchenstücke aus der Pfanne nehmen und warm stellen. Den Bratensaft etwas einkochen, saure Sahne einrühren und mit Zitronensaft, Salz, Pfeffer und Estragon abschmecken. Die Pfanne vom Herd nehmen und die Hähnchenstücke in die Sauce geben. Ein paar Minuten ziehen lassen und mit Reis servieren.

Hühnerfrikassee

Zutaten

FÜR 4 PERSONEN

1 Suppenhuhn

1 große Zwiebel, geviertelt

1 Bund Suppengemüse, grob
  gehackt

5 Pfefferkörner

1 Lorbeerblatt

½ TL Salz

1,5 l Wasser

3 EL Butter

3 EL Mehl

150 ml Milch

100 g Champignons, in
  Scheiben geschnitten und
  kurz angedünstet

100 g Erbsen, Tiefkühlware
  aufgetaut

100 g Spargelstücke aus
  dem Glas, abgetropft

2 Eigelb

60 g Schlagsahne

Zitronensaft

Salz und Pfeffer

Reis, zum Servieren

Zubereitung

1 Das Huhn mit Zwiebel, Suppengemüse, Pfefferkörnern, Lorbeerblatt, Salz und Wasser in einen großen Topf geben und aufkochen lassen. Dabei den entstehenden Schaum abschöpfen. Dann die Hitze auf geringste Stufe reduzieren und alles $1\frac{1}{2}$ Stunden köcheln lassen.

2 Das Huhn aus der Brühe nehmen, von Haut und Knochen befreien und in mundgerechte Stücke zerteilen. Die Brühe durch ein Sieb in eine Schüssel passieren. 400 ml Brühe zurück in den Topf geben und warm halten.

3 Die Butter in einem kleinen Topf auslassen, das Mehl einrühren und anschwitzen. Mit der Milch und der zurückbehaltenen warmen Brühe ablöschen und alles unter Rühren aufkochen lassen, bis die Sauce etwas andickt. Die Hitze reduzieren und Hühnerfleisch, Champignons, Erbsen und Spargelstücke zugeben. Ein paar Minuten köcheln lassen und dann vom Herd nehmen.

4 Das Eigelb mit der Schlagsahne verrühren und langsam unter Rühren in das nicht mehr kochende Frikassee geben. Mit Zitronensaft, Salz und Pfeffer abschmecken. Mit Reis servieren.

Gefüllter Gänsebraten

Zutaten

FÜR 4–6 PERSONEN

1 küchenfertige Gans (etwa
  3,5 kg)
1 Zitrone, halbiert
Salz und Pfeffer
1 Zwiebel, mit 3 Nelken
  gespickt
1 Karotte
1 Lorbeerblatt
Sauerkraut (s. S. 158), zum
  Servieren

Füllung

175 g getrocknete Pflaumen,
  eingeweicht, abgetropft
  und in Stücke geschnitten
3 Kochäpfel, geschält, entkernt und in Spalten
  geschnitten
220 g trockenes, geriebenes
  Schwarzbrot
2 EL Zucker
½ Bund Thymian, fein
  gehackt

Zubereitung

1 Das Fett aus dem Inneren der Gans entfernen, ausspülen und trocken tupfen. Innen
mit den Zitronenhälften einreiben und mit Salz
und Pfeffer würzen.

2 Gespickte Zwiebel, Gänseklein, Karotte und
Lorbeerblatt in einen Topf geben. Mit Wasser
bedecken und 1½ Stunden köcheln lassen.

3 Inzwischen den Backofen auf 200 °C vorheizen. Die Zutaten für die Füllung verrühren
und in das Innere der Gans drücken. Die
Öffnung mit Küchengarn verschnüren. Die
Haut unterhalb der Keulen und Flügel mit
einer Gabel einstechen. Die Gans mit der
Brustseite nach unten in einen Bräter geben.
Mit 250 ml kochendem Wasser übergießen
und in den Ofen schieben.

4 45 Minuten braten. Dabei immer wieder mit
dem eigenen Saft übergießen.

5 Die Hitze auf 160 °C reduzieren und eine
weitere Stunde braten. Die Gans wenden, die
Brust mit dem Bratensaft begießen und in
20 Minuten knusprig braten. Aus dem Ofen
nehmen und kurz ruhen lassen.

6 Die Brühe aus dem Gänseklein durch ein
Sieb in einen Topf gießen und erwärmen. Den
Bratensaft aus dem Bräter schöpfen und zur
Brühe geben. Unter Rühren köcheln lassen,
bis die Sauce reduziert ist. Die Gans mit
Sauerkraut und Sauce servieren.

Gefüllte Ente

Zutaten

FÜR 4–6 PERSONEN

1 EL Butter

200 g Maronen, gekocht und geschält

2 Zwiebeln, fein gehackt

2 Äpfel, geschält und gewürfelt

2 EL Rosinen

1 Ente, 2–2,5 kg, mit Leber und Herz

1 Ei

1 EL frisch gehacktes Basilikum

1 EL frisch gehackte Petersilie

Salz und Pfeffer

etwas Salzwasser (2 TL Salz auf 4 EL heißes Wasser)

Zubereitung

1 Den Backofen auf 200 °C vorheizen. Butter in einer Pfanne zerlassen. Die Maronen, Zwiebeln, Äpfel und Rosinen darin anbraten. Leber und Herz fein hacken, in die Pfanne geben und mitdünsten.

2 Die heiße Masse in eine Schüssel geben. Ei, Kräuter, Salz und Pfeffer zufügen und gut verrühren. Die Ente mit der Masse füllen und die Öffnung mit Küchengarn verschließen. Mit der Brust nach oben auf den Gitterrost legen, eine Fettpfanne darunter platzieren und 1 Stunde braten. Dabei gelegentlich mit dem abgetropften Fett begießen. Die Hitze auf 150 °C reduzieren.

3 Die Ente mit dem Salzwasser bepinseln und nochmals 20 Minuten im Backofen backen. Aus dem Ofen nehmen und kurz ruhen lassen. Auf einer Platte anrichten und servieren.

Fisch &
Meeresfrüchte

Deutschland liegt sowohl an der Nord- als auch an der Ostsee. Viele Salzwasserfische werden dort in die Küstenstädte geliefert und in köstliche Gerichte verwandelt. *Hamburger Fischspeise* hat eine knusprige Semmelbröselkruste und wird mit einer cremigen Zitronensahnesauce serviert, und *Schellfisch in Senfsauce* sieht mit seiner Garnitur aus Eistückchen und Kapern äußerst verlockend aus.

Auch Hering ist sehr beliebt, sowohl „getaucht" in eine Marinade aus Kräutern und Lorbeerblättern als auch „grün" und frisch serviert. *Labskaus* verbindet Salzhering und Rote Bete mit Corned Beef und Kartoffeln zu einem sättigenden Gericht, das jeden Seemann – und jede Landratte – glücklich macht.

Süßwasserfisch wird auf verschiedenste Weise zubereitet. *Gefüllter Hecht* ist eine Spezialität, und das zarte Fleisch der Forelle schmeckt herrlich in einer Sauce aus Crème fraîche oder in Weißwein mit Thymian, Basilikum und Petersilie. Forelle und Karpfen serviert man gern „blau" – der Fisch wird lebendig gekauft und kurz vor dem Kochen getötet, indem man ihm mit dem Griff eines Messers einen kräftigen Schlag auf den Kopf gibt. Eine Substanz auf der Haut des Fisches reagiert anschließend mit Essig und erzeugt eine intensiv blaue Farbe.

Matjes mit Pellkartoffeln

Zutaten

FÜR 4 PERSONEN

300 ml Weißweinessig

250 ml Apfelsaft

250 g weißer Kandis

3 EL mittelscharfer Senf

30 g Senfkörner

4 Zwiebeln, in Ringe
    geschnitten

12 Matjesfilets

1 Bund Dill

Pellkartoffeln, zum Servieren

Zubereitung

1 Essig, Apfelsaft, Kandis, Senf und Senfkörner in einen Topf geben und etwa 5 Minuten kochen lassen. Die Zwiebeln zugeben und kurz mitkochen. Den Topf vom Herd nehmen und den Sud abkühlen lassen.

2 Die Matjesfilets in eine Schüssel geben und mit dem Sud aufgießen. Darauf achten, dass der Fisch gut bedeckt ist. Die Schüssel abdecken, in den Kühlschrank stellen und 24 Stunden marinieren. Dazu Pellkartoffeln reichen.

Grüner Hering

Zutaten

FÜR 4 PERSONEN

4 frische Heringe, küchenfertig und ohne Kopf

4 EL Mehl

Salz und Pfeffer

70 ml Sonnenblumenöl

1 große Zwiebel, in Ringe
geschnitten

gekochte grüne Bohnen, zum
Servieren

Senfsauce

30 g Butter

30 g Mehl

250 ml Fischsud

2 EL Dijonsenf

Salz und Pfeffer

etwas Schlagsahne

1 kleine Knoblauchzehe,
zerdrückt

Zubereitung

1 Die Heringe waschen, trocken tupfen, im Mehl wenden, salzen und pfeffern.

2 Für die Sauce die Butter in einem Topf zerlassen, das Mehl zugeben und anschwitzen. Mit dem Fischsud ablöschen und etwa 5 Minuten unter Rühren köcheln lassen, bis eine sämige Sauce entsteht. Den Senf einrühren und mit Salz und Pfeffer abschmecken. Dann etwas Schlagsahne und den Knoblauch zugeben, einmal aufkochen lassen und beiseitestellen.

3 Das Öl in einer Pfanne erhitzen und die Heringe von jeder Seite 4 Minuten kross anbraten. Die Heringe aus der Pfanne nehmen und beiseitestellen. Die Zwiebelringe in die heiße Pfanne geben und goldgelb dünsten. Die Heringe zusammen mit den grünen Bohnen auf Tellern anrichten und mit der Sauce beträufeln. Die Zwiebelringe darübergeben und servieren.

Hamburger Fischspeise

Zutaten

FÜR 4 PERSONEN

500 g Weißfischfilet
(z. B. Kabeljau oder
Schellfisch)

4 EL Butter, 2 EL in kleine
Stücke geschnitten, plus
etwas mehr zum Einfetten

4 EL Mehl

125 ml Weißwein

200 g saure Sahne

150 g geriebener Gouda

1 EL Kapern

Salz und weißer Pfeffer

4 EL Semmelbrösel

Zubereitung

1 Die Fischfilets in einen Topf legen, mit Wasser bedecken und bei mittlerer Hitze so lange köcheln lassen, bis der Fisch fast gar ist. Vom Herd nehmen, den Fisch abtropfen lassen und in Stücke zerteilen.

2 Den Backofen auf 180 °C vorheizen. In einem Topf 2 Esslöffel Butter zerlassen, das Mehl zugeben und anschwitzen. Mit dem Weißwein ablöschen und die saure Sahne einrühren. Die Hälfte des Gouda, die Kapern und nach Bedarf etwas Wasser hinzufügen und unter Rühren köcheln lassen, bis die Sauce andickt. Mit Salz und Pfeffer abschmecken.

3 Eine Auflaufform einfetten und die Fischstücke hineingeben. Die Sauce darüber verteilen und mit restlichem Käse, Semmelbröseln und Butterstückchen bestreuen. Etwa 20 Minuten im Ofen backen, bis die Oberfläche goldgelb ist.

Kabeljau in Weißwein

Zutaten

FÜR 4 PERSONEN

900 g Kabeljaufilet

4 Zitronenscheiben

3 EL Butter

1 EL Semmelbrösel

Salz und weißer Pfeffer

1 EL fein gehackte Petersilie,
 zum Garnieren

junge Kartoffeln, zum
 Servieren

Brühe

300 ml Wasser

300 ml Weißwein

1 Bund Suppengrün, gehackt

1 Zwiebel

abgeriebene Schale von
 ½ Zitrone

1 Lorbeerblatt

3 Thymianzweige

Zubereitung

1 Für die Brühe alle Zutaten in einen großen Topf geben und zum Kochen bringen. Die Hitze auf kleinste Stufe reduzieren, den Topf abdecken und die Brühe etwa 30 Minuten köcheln lassen.

2 Die Fischfilets in die heiße Brühe geben, den Topf abdecken und in 15–20 Minuten den Fisch garen. Die Fischfilets vorsichtig aus der Brühe heben und in einem Sieb abtropfen lassen.

3 Die Brühe durch ein Sieb in eine Schüssel passieren. 500 ml Brühe in eine Pfanne gießen, Zitronenscheiben und Butter zugeben und wieder erhitzen. Sobald die Butter geschmolzen ist, die Zitronenscheiben entfernen. Die Semmelbrösel einrühren und die Sauce etwas andicken lassen. Mit Salz und Pfeffer abschmecken und die Fischfilets vorsichtig zugeben. Noch einmal erhitzen, mit Petersilie bestreuen und mit jungen Kartoffeln servieren.

Gebackener Weißfisch

Zutaten

FÜR 4 PERSONEN

4 dicke Weißfischsteaks,
z. B. Schwertfisch

Salz und Pfeffer

4 Tomaten, gehäutet und in
Stücke geschnitten

½ grüne Paprika, in dünne
Streifen geschnitten

2 Zwiebeln, in Ringe
geschnitten

1 EL Paprikapulver

4 Scheiben Schinkenspeck,
in feine Stücke
geschnitten

3 EL Butter, zerlassen

heißer Fischfond

50 g saure Sahne (nach
Belieben)

Zubereitung

1 Den Backofen auf 180 °C vorheizen. Den Fisch waschen, trocken tupfen und mit Salz und Pfeffer würzen. Tomatenstücke, Paprika und Zwiebeln in eine Auflaufform geben, mit dem Paprikapulver bestreuen und gut vermengen.

2 Die Fischscheiben auf das Gemüse platzieren und den Speck darüber verteilen. Mit der zerlassenen Butter übergießen und mit Alufolie bedecken. 30 Minuten im Ofen braten. Nach Bedarf etwas Brühe zugießen.

3 Die Alufolie entfernen und weitere 10 Minuten braten. Den Fisch aus der Form nehmen und nach Belieben die saure Sahne in das Gemüse einrühren. Die Fischscheiben mit dem Gemüse anrichten und servieren.

Seezunge Müllerin Art

Zutaten

FÜR 4 PERSONEN

4 Seezungenfilets

Salz und Pfeffer

Saft von 1 Zitrone

4 EL Mehl

4 EL Butter

2 EL Öl

1 Bund Petersilie, fein
   gehackt

Zum Servieren

gekochte grüne Bohnen

Zitronenspalten

Zubereitung

1 Die Seezungen waschen, trocken tupfen, mit Salz und Pfeffer würzen und mit Zitronensaft beträufeln. Die Filets kurz ziehen lassen und im Mehl wenden.

2 In einer großen Pfanne 2 Esslöffel Butter und 2 Esslöffel Öl erhitzen. Die Fischfilets in die Pfanne legen und bei mittlerer Hitze 4 Minuten braten. Vorsichtig wenden und weitere 4 Minuten braten. Aus der Pfanne heben und auf einer vorgewärmten Platte warm stellen.

3 Die restliche Butter in einem kleinen Topf zerlassen und leicht braun werden lassen. Die Petersilie über die Seezungen streuen und die braune Butter darübergießen. Mit grünen Bohnen und Zitronenspalten servieren.

Schellfisch mit Senfsauce

Zutaten

FÜR 4 PERSONEN

600 ml Gemüsebrühe

abgeriebene Schale von
 ½ Zitrone

1 Lorbeerblatt

4 Schellfischfilets

4 EL Butter

4 Zitronenspalten (nach
 Belieben), zum Garnieren

Senfsauce

70 g Butter

1 kleine Zwiebel, sehr fein
 gehackt

4 EL Mehl

500 ml Fischfond

2 EL Dijon-Senf

Salz und Pfeffer

Zum Servieren

1 EL Kapern

1 hart gekochtes Ei, in kleine
 Stücke zerteilt

gekochte junge Kartoffeln

gekochte grüne Bohnen

Zubereitung

1 Gemüsebrühe, Zitronenschale und Lorbeerblatt in einen Topf geben und aufkochen lassen. Vom Herd nehmen und die Fischfilets zugeben. Den Topf zurück auf den Herd stellen, die Hitze auf kleinste Stufe reduzieren und so lange köcheln, bis der Fisch gar, aber noch fest ist. Die Fischfilets vorsichtig aus der Brühe heben und in einem Sieb abtropfen lassen. Auf einen Teller geben, abdecken und im Backofen warm halten.

2 Für die Sauce 4 Esslöffel Butter in einem Topf zerlassen, die Zwiebel zugeben und goldbraun dünsten. Das Mehl darüberstreuen und anschwitzen. Mit dem Fischfond ablöschen und unter Rühren 10 Minuten köcheln. Den Senf einrühren und weitere 5 Minuten köcheln und etwas andicken lassen. Die restliche Butter zugeben und mit Salz und Pfeffer abschmecken.

3 Die Butter für den Fisch in einem Topf zerlassen. Die Fischfilets auf Tellern anrichten und mit der Butter übergießen. Die Kapern und Eistückchen darüber verteilen und mit jungen Kartoffeln, grünen Bohnen und der Senfsauce servieren. Nach Belieben mit Zitronenspalten garnieren.

Seezungenröllchen in Zitronensauce

Zutaten

FÜR 4 PERSONEN

8 Seezungenfilets, längs
   halbiert
Salz und Pfeffer
2 EL fein gehackte Petersilie
Butter, zum Einfetten

Zitronensauce

300 ml Wasser
Saft und abgeriebene Schale
   von 1 Zitrone
3 EL Butter
3 EL Mehl
Salz
1 Eigelb
30 g saure Sahne

Zubereitung

1 Die Seezungenfilets abspülen und trocken tupfen. Mit Salz und Pfeffer würzen, etwas fein gehackte Petersilie in die Mitte jeder Filethälfte geben und diese aufrollen. Mit Zahnstochern feststecken. Eine Auflaufform einfetten und die Seezungenröllchen hinein- legen. Die Form abdecken und beiseitestellen.

2 Für die Sauce das Wasser in einen Topf geben, die Zitronenschale hinzufügen und zum Kochen bringen. Die Hitze auf die ge- ringste Stufe reduzieren und 10 Minuten köcheln lassen. Die Zitronenschale aus dem Topf entfernen und diesen beiseitestellen.

3 Den Backofen auf 180 °C vorheizen. Die Butter in einem Topf zerlassen, das Mehl einrühren und anschwitzen. Nach und nach das zurückbehaltene Zitronenwasser unter Rühren zugießen. Etwa 5 Minuten unter Rühren köcheln lassen, bis die Sauce etwas andickt. Den Zitronensaft zugießen, mit Salz abschmecken und vom Herd nehmen. Eigelb und saure Sahne in eine Schüssel geben und verquirlen. Nach und nach unter Rühren zur Sauce geben.

4 Die Sauce über die Seezungenröllchen gießen. In den Ofen schieben und etwa 20 Minuten backen. Sofort servieren.

Fischeintopf

Zutaten

FÜR 4 PERSONEN

900 g Weißfischfilet

2 EL Zitronensaft

Salz

120 g fetter Speck

1 Zwiebel, fein gehackt

1 Bund Suppengrün, gehackt

600 g Kartoffeln, in 1 cm
  dicke Scheiben
  geschnitten

2 TL Paprikapulver

Zubereitung

1 Den Fisch waschen und trocken tupfen. Mit dem Zitronensaft beträufeln, mit Salz würzen, abdecken und 30 Minuten marinieren.

2 Den Speck in einen Topf geben und scharf anbraten. Zwiebel, Suppengrün und Kartoffeln zugeben und anbräunen. Das Paprikapulver einrühren, mit 300 ml Wasser aufgießen und zum Kochen bringen.

3 Die Fischfilets halbieren und in den Topf auf das Gemüse legen. Bei mittlerer Hitze etwa 15 Minuten garen. Dann die Hitze auf kleinste Stufe reduzieren, den Topf abdecken und weitere 15 Minuten garen. Bei Bedarf etwas Wasser zugießen. Auf Tellern anrichten und servieren.

Fischklöße mit Champignonsauce

Zutaten

FÜR 4 PERSONEN

450 g Weißfischfilet

2 Eier, verquirlt

1 Brötchen, eingeweicht

2 TL fein gehackte Petersilie

abgeriebene Schale von
    1 Zitrone

Salz und weißer Pfeffer

500 ml Fischfond

Champignonsauce

90 g Butter

150 g Champignons, in
    Scheiben geschnitten

1 Zwiebel, sehr fein gehackt

4 EL Mehl

500 ml Milch

1 TL Zitronensaft

Salz und Pfeffer

Zubereitung

1 Die Fischfilets in eine Küchenmaschine geben und grob pürieren. In eine Schüssel geben und Eier, gut ausgedrücktes Brötchen, Petersilie und Zitronenschale zugeben und gut vermengen. Salzen und pfeffern. Aus der Masse kleine Klöße formen und beiseitestellen.

2 Den Fischfond in einen Topf gießen und zum Kochen bringen. Die Hitze reduzieren und die Fischklöße in den Fond geben. Etwa 15 Minuten köcheln, bis die Klöße gar sind.

3 Für die Sauce 2 Esslöffel Butter bei mittlerer Hitze in einer Pfanne zerlassen, die Champignons zugeben und 5 Minuten dünsten. In einer weiteren Pfanne die restliche Butter zerlassen, die Zwiebel zufügen und goldbraun dünsten. Das Mehl zugeben und anschwitzen. Die Milch einrühren, die Pilze zugeben und unter Rühren 10–15 Minuten köcheln lassen, bis die Sauce andickt. Den Zitronensaft zugießen und mit Salz und Pfeffer abschmecken.

4 Die Fischklöße auf Tellern anrichten und mit der Sauce servieren.

Labskaus

Zutaten

FÜR 4 PERSONEN

1 EL Butterschmalz

1 Zwiebel, fein gehackt

500 g Corned Beef

200 g Rote Bete aus dem
Glas, abgetropft und fein
gehackt, plus etwas Rote-
Bete-Saft

2 Gewürzgurken, fein
gehackt, plus etwas
Gewürzgurkensaft

2 Rollmöpse aus dem Glas, in
kleine Stücke geschnitten,
plus Rollmopssaft

750 g Kartoffeln

Salz und Pfeffer

1 Prise Muskatnuss

Zum Servieren

4 Spiegeleier

gekochte Rote Bete, in
Scheiben geschnitten oder
Rote Bete aus dem Glas

Zubereitung

1 Das Butterschmalz in einem großen Topf erhitzen, die Zwiebel zugeben und andünsten. Das Corned Beef zugeben und anbraten. Rote Bete, Gewürzgurken und Rollmöpse zufügen und 5 Minuten garen lassen. Etwas Rote-Beete-, Gewürzgurken- und Rollmopssaft durch ein Sieb zugießen, bis alles gut bedeckt ist. 30 Minuten köcheln lassen.

2 In der Zwischenzeit die Kartoffeln in einen großen Topf geben, mit Wasser bedecken, zum Kochen bringen und garen. Die Kartoffeln abgießen, etwas abkühlen lassen und pellen. Mit einem Kartoffelstampfer zu Püree verarbeiten. Mit Salz, Pfeffer und Muskatnuss würzen. Zu der Corned-Beef-Mischung in die Pfanne geben und alles noch einmal mit dem Kartoffelstampfer bearbeiten. Kurz erhitzen und die Masse dann in 4 Portionen teilen.

3 Auf Tellern mit den Spiegeleiern und der gekochten Roten Bete anrichten.

Grüner Aal

Zutaten

FÜR 4 PERSONEN

1 kg frischer Aal, küchenfertig
    und gehäutet
Salz
Saft von 2 Zitronen
1 l Wasser
1 Bund Suppengemüse, fein
    gehackt
1 Zwiebel, geviertelt
2 Lorbeerblätter
6 Pfefferkörner
125 ml Weißweinessig

Sauce

2 EL Butter
2 EL Mehl
125 ml Weißwein
Salz und Pfeffer
1 Prise Zucker
200 g Sahne
2 Eigelb
2 EL frisch gehackter Dill
Gurkensalat, zum Servieren

Zubereitung

1 Den Aal waschen, trocken tupfen und in etwa 7 cm lange Stücke schneiden. Mit Salz würzen, mit Zitronensaft beträufeln, abdecken und 10 Minuten marinieren.

2 In einem großen Topf Wasser, Suppengemüse, Zwiebel, Lorbeerblätter und Pfefferkörner zum Kochen bringen. Die Aalstücke zugeben und bei geringer Hitze etwa 20 Minute garen. Die Aalstücke herausnehmen, in einem Sieb abtropfen lassen und warm stellen. Den Fischsud durch ein Sieb in eine Schüssel abseihen.

3 Für die Sauce die Butter in einem Topf zerlassen, das Mehl zugeben und anschwitzen. 500 ml von dem Fischsud und den Weißwein zugießen und mit Salz und Pfeffer würzen. Den Zucker zugeben. Etwa 5 Minuten bei geringer Hitze köcheln lassen, dann den Topf vom Herd nehmen. Die Sahne mit dem Eigelb verquirlen und unter Rühren in die Sauce geben. Dann den Dill einrühren.

4 Die Aalstücke auf Tellern anrichten, mit der Sauce begießen und mit Gurkensalat servieren.

Aal in Salbei

Zutaten

FÜR 4 PERSONEN

1 kg frischer Aal, küchenfertig
und gehäutet
Salz
Saft von 1 Zitrone
frische Salbeiblätter
80 g Butter
1 Zwiebel, fein gehackt
125 ml Weißwein
100 ml Fischfond

Zubereitung

1 Den Aal waschen, trocken tupfen und in 5 cm lange Stücke schneiden. Salzen, die Hälfte des Zitronensaftes zugießen und gut vermengen. Die Aalstücke mit Salbeiblättern umwickeln und mit etwas Küchengarn zusammenbinden.

2 Etwa 50 g Butter in einer großen Pfanne bei mittlerer Hitze zerlassen und die Zwiebel darin andünsten. Die Aalstücke und den restlichen Zitronensaft zugeben und 5 Minuten garen. Mit dem Weißwein und dem Fischfond ablöschen und weitere 15 Minuten köcheln lassen, bis der Aal gar ist.

3 Den Aal auf vorgewärmten Tellern anrichten. Die restliche Butter in einem kleinen Topf zerlassen und etwas anbräunen. Die Aalstücke mit der Butter und dem Sud aus der Pfanne beträufeln und servieren.

Karpfen in Rotweinsauce

Zutaten

FÜR 4 PERSONEN

Zutaten

1 Karpfen (etwa 1,5 kg),
  küchenfertig

Salz

½ TL getrockneter Thymian

60 g Butter

250 ml Rotwein

frisch gemahlener Pfeffer

1 Lorbeerblatt

2 Wacholderbeeren

4–6 Senfkörner

1 Zwiebel, fein gehackt

125 ml saure Sahne

1 Prise Zucker

Pfeffer

Zum Servieren

gekochte junge Kartoffeln

gekochte grüne Bohnen

Zubereitung

1 Den Backofen auf 180 °C vorheizen. Den Karpfen waschen, trocken tupfen und von außen und innen mit Salz und Thymian einreiben.

2 Die Butter in einem Bräter zerlassen, den Karpfen zugeben und von beiden Seiten scharf anbraten. Mit dem Rotwein ablöschen und Pfeffer, Lorbeerblatt, Wacholderbeeren, Senfkörnern und Zwiebel zufügen. Dann den Bräter abdecken, in den Ofen schieben und 30–40 Minuten braten.

3 Den Karpfen aus dem Bräter heben und warm stellen. Den Sud durch ein Sieb passieren, in einen Topf geben und aufkochen lassen. Die Hitze reduzieren, Sahne und Zucker zugeben und mit Salz und Pfeffer abschmecken.

4 Den Karpfen auf einer Platte anrichten. Dazu junge Kartoffeln, grüne Bohnen und die Rotweinsauce servieren.

Forelle blau

Zutaten

FÜR 4 PERSONEN

2 l Wasser

500 ml Weißwein

125 ml Weißweinessig

1 Bund Suppengemüse,
  gehackt

1 Zwiebel, mit 1 Lorbeerblatt
  und 1 Nelke gespickt

1 TL Salz

½ TL Pfefferkörner

4 frische Forellen,
  ausgenommen, nicht
  geschuppt

Zitronenviertel, zum
  Garnieren

gekochte junge Kartoffeln,
  zum Servieren

Zubereitung

1 Wasser, Weißwein, Essig, Suppengemüse, Zwiebel, Salz und Pfefferkörner zum Kochen bringen, die Hitze reduzieren und 15 Minuten köcheln lassen.

2 In der Zwischenzeit die Forellen von innen salzen. (Dabei die Forellen nur mit nassen Händen anfassen und darauf achten, dass die äußere Schleimschicht nicht verletzt wird, sonst werden sie nicht mehr blau.) Die Forellen vorsichtig in die köchelnde Brühe legen, den Topf abdecken und bei geringer Hitze etwa 10–15 Minuten ziehen lassen. Sobald sich die Rückenflosse leicht herausziehen lässt, sind die Forellen gar.

3 Die Fische aus dem Topf heben und auf einer Platte mit Zitronenvierteln anrichten. Mit jungen Kartoffeln servieren.

Hecht in Rahmsauce

Zutaten

FÜR 4 PERSONEN

2 EL Butter

1 Zwiebel, fein gehackt

1 EL fein gehackte Petersilie

800 g Hechtfilet, in große
   Stücke geschnitten

150 ml Fischfond

1 Lorbeerblatt

2 TL Sardellenpaste

1 EL abgeriebene
   Zitronenschale

Sauce

2 EL Butter

3 EL Mehl

300 g Schlagsahne

Salz

etwas geriebene Muskatnuss

1 Eigelb

2 EL Weißwein

Zubereitung

1 Die Butter in einer Pfanne bei mittlerer Hitze zerlassen und Zwiebel und Petersilie darin andünsten. Die Fischstücke, den Fischfond und das Lorbeerblatt zugeben. 10–15 Minuten köcheln lassen, bis die Fischstücke gar, aber noch fest sind. Die Filetstücke in eine Aufflaufform geben. Den Sud durch ein Sieb passieren und beiseitestellen.

2 Den Backofen auf 180 °C vorheizen. Für die Sauce die Butter in einem Topf zerlassen, das Mehl zugeben und anschwitzen. Mit der Sahne ablöschen und etwas andicken lassen. Nach und nach den Fischsud zugießen und verrühren. Mit Salz und Muskatnuss abschmecken und beiseitestellen.

3 Die Fischstücke mit der Sardellenpaste bestreichen und die Zitronenschale darüber verteilen. Mit etwa zwei Drittel der Sauce übergießen und 30 Minuten im Ofen backen.

4 Eigelb mit Weißwein verquirlen. Die restliche Sauce erwärmen und das Eigelb unterrühren. (Darauf achten, dass die Sauce nicht kocht, sonst gerinnt sie.) Den Hecht mit der Sauce servieren.

Gefüllter Hecht

Zutaten

FÜR 4 PERSONEN

1 Hecht, geschuppt und
    ausgenommen
Salz und Pfeffer
1 EL Zitronensaft
50 g Speckstreifen
150 ml Fischfond
2 EL Butter, zerlassen
80 g saure Sahne
Zitronenviertel, zum
    Garnieren

Füllung

250 g Fischfilet
1 altbackenes Brötchen,
    eingeweicht und
    ausgedrückt
1 EL Butter
1 Zwiebel, fein gehackt
5–6 Champignons, in dünne
    Scheiben geschnitten
etwas Tomatenmark
50 g Sahne
1 EL fein gehackter Dill
1 EL Schnittlauchröllchen
1 EL fein gehackte Petersilie
2 EL Semmelbrösel

Zubereitung

1 Den Fisch waschen, trocken tupfen, von innen und außen mit Salz und Pfeffer würzen und mit dem Zitronensaft beträufeln.

2 Für die Füllung das Fischfilet mit dem Brötchen in eine Schüssel geben und mit dem Pürierstab grob zerkleinern. Die Butter in einer Pfanne zerlassen und die Zwiebel darin andünsten. Die Champignons zugeben und mitdünsten. Tomatenmark, Sahne, Dill, Schnittlauch, Petersilie und Semmelbrösel zufügen und alles gut vermengen. Mit Salz und Pfeffer abschmecken.

3 Den Backofen auf 200 °C vorheizen. Die Füllung in den Fischbauch geben und die Öffnung mit Zahnstochern zustecken. Den Fisch in eine Auflaufform legen und die Speckstreifen darauf verteilen. Den Fischfond in die Form gießen und den Fisch mit der zerlassenen Butter beträufeln.

4 Den Fisch etwa 45 Minuten im Ofen backen, dabei immer wieder mit etwas Fischfond aus der Form übergießen.

5 Den Fisch auf einer Platte anrichten. Die Flüssigkeit aus der Form in einen Topf gießen und bei mittlerer Hitze und unter Rühren die saure Sahne einrühren. Den Fisch mit Zitronenvierteln garnieren und mit der Sauce servieren.

Forelle in Rahm

Zutaten

FÜR 4 PERSONEN

4 kleine Forellen,
  küchenfertig
Salz und Pfeffer
2 EL Mehl, plus etwas mehr
  zum Bestäuben
3 EL Butter
1 Zwiebel, sehr fein gehackt
200 g Schlagsahne
2 EL Zitronensaft
2 EL Fischfond
Kartoffelpuffer (s. S. 54) oder
  Pellkartoffeln, zum
  Servieren

Zubereitung

1 Die Forellen waschen und trocken tupfen. Von innen und außen mit Salz und Pfeffer würzen und mit etwas Mehl bestäuben.

2 Die Butter in einer schweren Pfanne zerlassen und den Fisch von jeder Seite anbraten, bis er eine goldbraune Farbe angenommen hat. Aus der Pfanne heben, auf eine vorgewärmte Platte legen und warm stellen.

3 Die Zwiebel in die Pfanne geben und goldbraun andünsten. 2 Esslöffel Mehl einrühren und anschwitzen. Mit der Sahne ablöschen und kurz köcheln lassen, bis die Sauce eine dickliche Konsistenz hat. Den Zitronensaft und den Fischfond hinzugießen und mit Salz und Pfeffer abschmecken. Kurz aufkochen lassen und vom Herd nehmen.

4 Die Forellen auf Tellern anrichten und mit der Sauce übergießen. Mit Kartoffelpuffern oder Pellkartoffeln servieren.

Kräuterforelle in Weißwein

Zutaten

FÜR 4 PERSONEN

4 kleine Forellen, küchenfertig

Salz und Pfeffer

Mehl, zum Bestäuben

3 EL Butter

½ Bund glatte Petersilie, fein gehackt

1 EL fein gehackte Zitronenmelisse

1 EL fein gehackter frischer Thymian

2 Zwiebeln, fein gehackt

2 Knoblauchzehen, fein gehackt

500 ml Weißwein

Zitronenviertel, zum Garnieren

Zubereitung

1 Die Forellen waschen und trocken tupfen. Von innen und außen mit Salz und Pfeffer würzen und mit Mehl bestäuben.

2 Die Butter in der Pfanne zerlassen und Petersilie, Zitronenmelisse, Thymian, Zwiebeln und Knoblauch darin andünsten. Die Forellen zugeben und von jeder Seite 3 Minuten anbraten.

3 Mit dem Weißwein ablöschen, die Pfanne abdecken und die Forellen 15–20 Minuten garen. Auf einer Platte anrichten, mit dem Sud beträufeln, mit Zitronenspalten garnieren und servieren.

Muscheln rheinische Art

Zutaten

FÜR 4 PERSONEN

3 kg Miesmuscheln

3 EL Butter

2 Karotten, grob gehackt

2 Zwiebeln, in Ringe
geschnitten

1 Porreestange, in Ringe
geschnitten

1 Knoblauchzehe, zerdrückt

500 ml trockener Weißwein

500 ml Fischfond

Salz und Pfeffer

1 Bund glatte Petersilie, fein
gehackt

Roggenmischbrot, zum
Servieren

Zubereitung

1 Die Muscheln unter fließend kaltem Wasser abbürsten und die Bärte entfernen. Bereits geöffnete Muscheln unbedingt wegwerfen.

2 Die Butter in einem Topf zerlassen und Karotten, Zwiebeln, Porree und Knoblauch darin andünsten. Mit dem Wein und dem Fischfond ablöschen und aufkochen lassen. Mit Salz und Pfeffer würzen und die Hälfte der Petersilie zum Sud geben. Die Muscheln in den Topf geben und diesen abdecken. Nach etwa 7–8 Minuten öffnen sich die Muscheln. Muscheln, die sich nicht geöffnet haben, wegwerfen.

3 Die Muscheln in tiefen Tellern anrichten und mit dem Sud übergießen. Mit der restlichen Petersilie bestreuen und mit Roggenmischbrot servieren.

Flusskrebs in Dillsauce

Zutaten

FÜR 2 PERSONEN

80 g Butter

1 kleine Zwiebel, sehr fein
gehackt

1 EL frisch gehackte Petersilie

20 rohe Flusskrebsschwänze

125 ml trockener Weißwein

1 EL Mehl

Salz und Pfeffer

1 EL fein gehackter frischer
Dill

frisches Weißbrot, zum
Servieren

Zubereitung

1 Die Hälfte der Butter in einer großen Pfanne
bei mittlerer Hitze zerlassen. Zwiebel und
Petersilie zugeben und 3 Minuten weich
dünsten. Die Flusskrebsschwänze zufügen
und kurz mitdünsten. Mit dem Wein ablöschen und nach Bedarf noch etwas Wasser
zugeben, sodass alles bedeckt ist. 10 Minuten
köcheln lassen, dann die Flusskrebsschwänze
herausnehmen und abkühlen lassen. Die
Krebse schälen, am Rücken einschneiden
und den Darm entfernen.

2 Den Sud durch ein Sieb abgießen und
300 ml aufbewahren. Die restliche Butter in
einer Pfanne erhitzen, das Mehl zugeben und
anschwitzen. Nach und nach den Sud zugießen und bei geringer Hitze köcheln lassen,
bis die Sauce andickt.

3 Die Sauce mit Salz und Pfeffer abschmecken und den Dill einrühren. Die Krebs-
schwänze zugeben und nochmals erhitzen.
In Schüsseln anrichten und mit Weißbrot
servieren.

Gemüse &
Beilagen

In unserer deutschen Küche sind die Beilagen mindestens ebenso wichtig wie Fleisch oder Fisch. Aber auf die richtigen Kombinationen kommt es an. Es gibt einige klassische Zusammenstellungen, die ein Höchstmaß an Geschmack garantieren – *Schweinshaxe mit Sauerkraut* schmeckt wunderbar mit einem cremigen Kartoffelpüree, während *Sauerkraut* mit Kümmel eine perfekte Ergänzung zu einer fetten, gebratenen Gans bildet.

Kohl ist ein sehr vielseitiges Gemüse und spielt in der deutschen Küche eine entscheidende Rolle. Das bekannteste Kohlgericht ist ohne Zweifel *Sauerkraut*. Dies wird aus Weißkohl gemacht, den man mehrere Tage fermentieren lässt, mit Speck kocht und mit geriebener roher Kartoffel andickt. *Apfelrotkohl* schmeckt wunderbar zu Fleischgerichten, während der *Grünkohl mit Pinkel* eine regionale Bremer Spezialität ist.

Kartoffeln sind die beliebteste deutsche Beilage und in allen Variationen äußerst beliebt. Besonders als Klöße sind sie eine ideale Beilage zum Braten. Doch auch als Suppeneinlage oder mit Gemüse gegessen sind Klöße sehr schmackhaft. *Himmel un Äad* ist eine rheinische Spezialität und kann als Beilage oder, wenn man anstatt Speck angebratene Blutwurst dazu reicht, als Hauptgericht serviert werden. Wir wünschen Ihnen einen guten Appetit!

Warmer Kartoffelsalat

Zutaten

FÜR 4 PERSONEN

1 kg junge kleine Kartoffeln

90 ml Weißweinessig

125 ml heiße Fleischbrühe

1 Zwiebel, fein gehackt

2 EL Pflanzenöl

125 g durchwachsener
   Speck, in feine Würfel
   geschnitten

Salz und Pfeffer

1 Msp. Zucker

100 g saure Sahne

½ Bund Petersilie, fein
   gehackt

½ Bund Dill, fein gehackt

½ Bund Schnittlauch, fein
   gehackt

Zubereitung

1 Die Kartoffeln abbürsten, in einen großen Topf geben und mit Wasser bedecken. Zum Kochen bringen und in etwa 20 Minuten gar kochen. Abgießen, kurz mit kaltem Wasser abschrecken und abtropfen lassen. In eine Schüssel geben. Essig, Fleischbrühe und Zwiebel zufügen und gut vermengen.

2 Das Öl in einer Pfanne erhitzen und den Speck darin goldgelb auslassen. Mit Salz, Pfeffer und Zucker würzen. Saure Sahne, Petersilie, Dill und Schnittlauch zugeben und kurz mit andünsten. Die heiße Sauce über die Kartoffeln gießen und vorsichtig vermengen. Mit Salz und Pfeffer abschmecken und den Salat vor dem Servieren 10–15 Minuten ziehen lassen.

Kartoffelklöße

Zutaten

FÜR 8 PERSONEN

500 g gekochte, mehlig
   kochende Kartoffeln, leicht
   abgekühlt

150 g Mehl, plus etwas mehr
   zum Bestäuben

2 Eier

Salz

geriebene Muskatnuss (nach
   Belieben)

Zubereitung

1 Die Kartoffeln pellen und durch eine Kartoffelpresse drücken. (Alternativ mit einem Kartoffelstampfer bearbeiten.) In einer großen Schüssel die gestampften Kartoffeln, Mehl, Eier, Salz und nach Belieben Muskatnuss vermengen, bis ein glatter Teig entsteht.

2 Den Teig auf eine bemehlte Arbeitsfläche geben und mit bemehlten Händen daraus eine Rolle formen. Die Teigrolle in gleich große Stücke schneiden und mit leicht angefeuchteten Händen Kartoffelklöße formen.

3 Salzwasser in einen großen Topf füllen und zum Kochen bringen. Die Knödel schnell hintereinander in das Wasser geben und sofort die Hitze auf mittlere Stufe reduzieren. (Die Knödel dürfen nur ziehen, da sie sonst zerfallen.) Nach etwa 10 Minuten sind die ersten Knödel gar und steigen an die Wasseroberfläche. Die Knödel mit einem Schaumlöffel aus dem Wasser heben, kurz abtropfen lassen und servieren.

Himmel un Ääd

Zutaten

FÜR 6 PERSONEN

1 kg mehlig kochende
Kartoffeln

250 ml Milch

50 g Butter

Salz

geriebene Muskatnuss (nach
Belieben)

6 Äpfel (z. B. Boskop)

4 EL Zucker

Saft von 1 Zitrone

1 TL Butterschmalz

6 Scheiben Schinkenspeck,
klein geschnitten, oder
wahlweise Blutwurst, von
der Pelle befreit

2 EL Mehl

Zubereitung

1 Die Kartoffeln schälen, in einen Topf geben und mit Wasser bedecken. Zum Kochen bringen und in etwa 20 Minuten gar kochen. Abgießen, abtropfen lassen und mit einem Kartoffelstampfer zerstampfen. Die Milch in einem Topf erhitzen, Butter, etwas Salz und nach Belieben geriebene Muskatnuss zugeben und kräftig mit dem Schneebesen durchrühren.

2 Die Äpfel schälen, entkernen und vierteln. Mit dem Zucker und dem Zitronensaft würzen und in einen Topf geben. Ganz wenig Wasser zugießen, aufkochen lassen und die Äpfel gar kochen. Die Äpfel mit dem Kartoffelstampfer zerstampfen und unter das Kartoffelpüree rühren.

3 Das Butterschmalz in einer Pfanne zerlassen. Den Schinkenspeck oder die Blutwurst leicht im Mehl wenden und im Schmalz knusprig braten.

4 Himmel un Äd auf Teller verteilen, den Speck oder die Blutwurst darauf anrichten und servieren.

Rosenkohl mit Maronen

Zutaten

FÜR 4 PERSONEN

400 g Maronen

Salz

600 g Rosenkohl

75 g Gänseschmalz

1 EL fein gehackter frischer
   Thymian

Zubereitung

1 Die Maronen mit einem Messer am spitz zulaufenden Ende ringsum einschneiden. In einen Topf Salzwasser geben und zum Kochen bringen. Die Maronen in den Topf geben und 3 Minuten garen. Abgießen und abtropfen lassen. So heiß wie möglich aus der Schale brechen, dabei auch die braune Haut entfernen.

2 Den Rosenkohl putzen und waschen. Einen Topf mit Salzwasser füllen, Rosenkohl und Maronen zugeben und etwa 15 Minuten kochen. Abgießen und abtropfen lassen.

3 Das Gänseschmalz in einer Pfanne erhitzen. Rosenkohl, Maronen und Thymian zufügen und ein paar Minuten andünsten. In einer Schüssel anrichten und servieren.

Sauerkraut

Zutaten

FÜR 4 PERSONEN

50 g Gänseschmalz

1 Zwiebel, fein gehackt

1 Apfel, in kleine Stücke
  geschnitten

250 ml Riesling

500 g Sauerkraut

1 TL Kümmelsaat

1 Lorbeerblatt

150 g Kartoffeln, gerieben

2 Nelken

Salz und Pfeffer

1 Prise Zucker

Zubereitung

1 Das Gänseschmalz in einem Topf zerlassen. Zwiebel und Apfel zugeben und glasig dünsten. Mit dem Riesling ablöschen. Das Sauerkraut mit einer Gabel etwas auflockern und zugeben. Kümmel, Lorbeerblatt, Kartoffeln und Nelken zufügen, den Topf abdecken und alles etwa 1 Stunde bei geringer Hitze köcheln lassen.

2 Das Lorbeerblatt entfernen. Mit Salz, Pfeffer und Zucker abschmecken und servieren.

Apfelrotkohl

Zutaten

FÜR 4 PERSONEN

1 Rotkohl (1 kg)

250 g säuerliche Äpfel
  (z. B. Boskop)

Salz

100 ml Rotweinessig

50 g Butter

3 Zwiebeln, fein gehackt

25 g Zucker

200 ml trockener Rotwein

125 ml Brühe

½ Zimtstange

2 Gewürznelken

1 Lorbeerblatt

Pfeffer

frisch gehackter Dill, zum
  Servieren

Zubereitung

1 Die äußeren Blätter und den Strunk vom Rotkohl entfernen. Den Kohl mit einem einem Krauthobel in feine Streifen reiben. Die Äpfel schälen, entkernen, in kleine Würfel schneiden und beiseitestellen.

2 Den Kohl in eine Schüssel geben und mit Salz bestreuen. Den Rotweinessig zugießen und gut vermengen. Die Schüssel abdecken und den Kohl 2 Stunden lang ziehen lassen.

3 Die Butter in einem Topf zerlassen. Zwiebeln und Apfelwürfel darin glasig dünsten. Den Zucker zugeben und alles leicht karamellisieren.

4 Den Rotkohl mit der Flüssigkeit zufügen und kurz mit andünsten.

5 Rotwein, Brühe, Zimtstange, Nelken und Lorbeer zufügen und gut verrühren. Den Topf abdecken und alles etwa 30 Minuten garen.

6 Mit Salz und Pfeffer abschmecken. Zimtstange, Nelken und Lorbeer entfernen und den Kohl in einer Schüssel anrichten. Zum Servieren nach Belieben mit Dill bestreuen.

Leipziger Allerlei

Zutaten

FÜR 4 PERSONEN

500 ml Fleischbrühe

2 EL Butter

Salz

1 Prise Zucker

250 g junge Karotten, in
    Streifen geschnitten

1 kleiner Blumenkohl, in
    Röschen zerteilt

250 g Spargelköpfe, oder
    Spargel aus dem Glas, in
    Stücke geschnitten

250 g Erbsen

200 g Champignons, in
    Scheiben geschnitten

1 EL Mehl

125 g Sahne

30 g Krebsbutter

weißer Pfeffer

geriebene Muskatnuss

½ Bund Petersilie, fein
    gehackt

Zubereitung

1 Die Fleischbrühe, die Hälfte der Butter, Salz und Zucker in einen Topf geben und aufkochen lassen. Die Karotten zugeben und 5 Minuten garen. Blumenkohl und Spargel zufügen und weitere 8 Minuten köcheln lassen. Dann Erbsen und Champignons unterrühren und 10 Minuten mitdünsten.

2 Das Gemüse abgießen und die Brühe dabei auffangen. Die restliche Butter in einem Topf zerlassen, das Mehl zugeben und anschwitzen. Mit der Brühe ablöschen. Sahne und Krebsbutter einrühren und die Sauce etwas einkochen lassen. Das Gemüse zugeben und in der Sauce erwärmen, aber nicht mehr kochen. Mit Salz, Pfeffer und Muskatnuss abschmecken. Petersilie zugeben, gut verrühren und sofort servieren.

Dicke Bohnen mit Speck

Zutaten

FÜR 4 PERSONEN

20 g Butterschmalz

½ Zwiebel, fein gehackt

1 großes Glas dicke Bohnen
(400 g)

4 Scheiben Bauchspeck

20 g Bohnenkraut

1 EL Butter

1 EL Mehl

Salz und Pfeffer

Zubereitung

1 Das Butterschmalz in einem Topf zerlassen und die Zwiebel darin glasig dünsten. Die dicken Bohnen aus dem Glas samt Flüssigkeit zugeben. Den Bauchspeck darauflegen. Den Topf abdecken und bei geringer Hitze (damit die Bohnen nicht platzen) 40 Minuten garen. 10 Minuten vor Ende der Garzeit das Bohnenkraut unterrühren.

2 Die Bohnen abgießen und die Brühe dabei auffangen. Den Bauchspeck auf einen Teller legen und beiseitetellen.

3 Die Butter in einem Topf zerlassen, das Mehl zugeben und anschwitzen. Die aufgefangene Brühe zugießen. Die Bohnen zugeben, verrühren und mit Salz und Pfeffer abschmecken. Wenn die Sauce zu dickflüssig ist, etwas Wasser zugeben. Die Bohnen in Schüsseln oder tiefen Tellern anrichten, eine Scheibe Speck darüberlegen und servieren.

Rote Bete mit Dill & saurer Sahne

Zutaten

FÜR 4 PERSONEN

1 kg Rote Bete

1 TL Salz

125 g Butter

1 kleine Zwiebel, fein gehackt

1 EL frisch gehackte Petersilie

1 EL frisch gehackter Dill,
    plus etwas mehr zum
    Garnieren

2 EL Mehl

200 ml Gemüsebrühe

1 EL Weißweinessig

150 g saure Sahne

Zubereitung

1 Die Rote Bete in einen Topf geben und mit Wasser bedecken. Salz zugeben und aufkochen lassen. Sobald die Rote Bete gar ist, abgießen, abtropfen und etwas abkühlen lassen. Anschließend die Rote Bete schälen und in dicke Scheiben schneiden.

2 Die Butter in einer großen Pfanne zerlassen. Zwiebel, Petersilie und Dill zufügen und bei geringer Hitze unter Rühren andünsten. Das Mehl zugeben und gut verrühren. Die Gemüsebrühe zugießen und so lange köcheln lassen, bis die Sauce andickt. Den Weißweinessig zugeben und verrühren.

3 Die Rote Bete zur Sauce geben, die Pfanne abdecken und 10 Minuten ziehen lassen. Bei Bedarf etwas Wasser zufügen. Kurz vor dem Servieren die saure Sahne unterrühren. In einer Schüssel anrichten, mit Dill garnieren und servieren.

Rote-Bete-Püree

Zutaten

FÜR 6 PERSONEN

1 kg Rote Bete

1 TL Pflanzenöl

120 g Speck, gewürfelt

2 TL geriebener Meerrettich

125 g Crème fraîche

Zubereitung

1 Die Rote Bete in einen Topf geben und mit Wasser bedecken. Aufkochen lassen und 30 Minuten kochen. Abgießen, abtropfen und etwas abkühlen lassen. Die Rote Bete schälen und in einer Küchenmaschine fein pürieren.

2 Das Öl in einer Pfanne erhitzen und den Speck darin scharf anbraten. Pürierte Rote Bete, Meerrettich und Crème fraîche zufügen und verrühren. Unter Rühren etwas erwärmen, in eine Schüssel geben und servieren.

Birnen, Bohnen & Speck

Zutaten

FÜR 4 PERSONEN

4 dicke Scheiben durch-
    wachsener Speck, in
    Würfel geschnitten
½ Zwiebel, fein gehackt
500 ml heißes Wasser
400 g weiße Bohnen, über
    Nacht in Wasser
    eingeweicht
Salz und Pfeffer
2 Stängel Bohnenkraut
2 Birnen, in große Würfel
    geschnitten
Brot, zum Servieren

Zubereitung

1 Den Speck und die Zwiebel in einen Topf geben, mit dem heißen Wasser bedecken und zum Kochen bringen. Die Hitze reduzieren und etwa 20 Minuten köcheln lassen. Die Bohnen abgießen und in den Sud geben. Mit Salz, Pfeffer und Bohnenkraut würzen und zum Kochen bringen. Die Hitze auf mittlere Stufe reduzieren und etwa 30 Minuten köcheln, bis die Bohnen fast gar sind.

2 Die Birnenstücke zufügen und 15 Minuten mitgaren. Das Bohnenkraut entfernen, auf Tellern anrichten und mit Brot servieren.

Grünkohl mit Pinkel

Zutaten

FÜR 4 PERSONEN

1 EL Schweineschmalz

2 große Zwiebeln, fein
    gehackt

150 g geräucherter Speck, in
    Würfel geschnitten

1 Lorbeerblatt

1 kg Grünkohl

500 ml Fleischbrühe

8 Pinkelwürste (ersatzweise
    Kochmettwürste)

Salz und Pfeffer

geriebene Muskatnuss

Zubereitung

1 Das Schweineschmalz in einem großen Topf auslassen. Zwiebeln und Speck zugeben und andünsten. Lorbeerblatt und Grünkohl zugeben und mit andünsten. Mit der Fleischbrühe ablöschen. Die Hitze auf geringste Stufe reduzieren, den Topf abdecken und etwa 1 Stunde garen.

2 Die Pinkelwürste zugeben und eine weitere Stunde bei geringer Hitze unter Rühren köcheln lassen. Eventuell etwas Wasser zugießen, damit der Grünkohl nicht anbrennt. Den Pinkel herausnehmen. Den Grünkohl mit Salz, Pfeffer und geriebener Muskatnuss abschmecken. Auf Tellern anrichten, den Pinkel darauflegen und sofort servieren.

Karotten rheinische Art

Zutaten

FÜR 4 PERSONEN

300 ml Wasser

400 g Karotten, in Scheiben
  geschnitten

1 TL Zucker

2 EL Butter

1 große Zwiebel, fein gehackt

2 Kochäpfel, geschält,
  entkernt und in dünne
  Scheiben geschnitten

Salz und Pfeffer

geriebene Muskatnuss

Zitronensaft

Zubereitung

1 Das Wasser in einen Topf geben und zum Kochen bringen. Karotten und Zucker zugeben und bei geringer Hitze 8 Minuten köcheln lassen. Die Karotten abgießen und den Sud auffangen.

2 Die Butter in einer großen Pfanne zerlassen. Die Zwiebel zugeben und goldbraun dünsten. Die Apfelstücke zugeben und 5 Minuten mit andüsten. Karotten und Sud zufügen, den Topf abdecken und so lange köcheln, bis die Äpfel weich sind. Mit Salz, Pfeffer, geriebener Muskatnuss und Zitronensaft abschmecken. In einer Schüssel anrichten und servieren.

Erbsenpüree

Zutaten

FÜR 4 PERSONEN

500 g getrocknete, gelbe
   Erbsen, über Nacht
   eingeweicht
50 g Butter
2 Zwiebeln, fein gehackt
100 g durchwachsener,
   geräucherter Speck, in
   feine Würfel geschnitten
1 Prise getrockneter Majoran
Salz und Pfeffer
fein gehackte Petersilie, zum
   Garnieren

Zubereitung

1 Die Erbsen mit dem Einweichwasser in einen Topf geben und aufkochen lassen. Die Hitze auf geringste Stufe reduzieren und etwa 1 Stunde lang köcheln lassen, bis die Erbsen weich sind.

2 Die Butter in einem Topf auslassen. Zwiebeln und Speck zugeben und darin andünsten. Vom Herd nehmen.

3 Die Erbsen mit einem Pürierstab oder einer Küchenmaschine pürieren. In eine Schüssel geben, Zwiebeln, Speck und Majoran zufügen und gut verrühren. Mit Salz und Pfeffer abschmecken, mit der Petersilie garnieren und servieren.

Frankfurter grüne Sauce

Zutaten

FÜR 4 PERSONEN

300 g gemischte grüne
   Kräuter (z. B. Petersilie,
   Schnittlauch, Kerbel,
   Sauerampfer, Dill,
   Borretsch, Kresse,
   Estragon, Liebstöckel
   und Zitronenmelisse),
   sehr fein gehackt

2 Zwiebeln, sehr fein gehackt

1 EL Weißweinessig

2 EL Pflanzenöl

250 g Schmand

150 g Joghurt

1 Prise Zucker

Salz und Pfeffer

4 hart gekochte Eier, sehr fein
   gehackt

Zubereitung

1 Alle Zutaten außer den Eiern in eine Schüssel geben und mit dem Pürierstab pürieren. Die Schüssel abdecken, in den Kühlschrank stellen und mindestens 1 Stunde ziehen lassen. Die Eier zugeben, abermals pürieren und mindestens noch einmal 15 Minuten ziehen lassen.
Die Sauce passt sehr gut zu Pellkartoffeln.

Bayrische Semmelknödel

Zutaten

FÜR 4 PERSONEN

6 altbackene Brötchen

250 ml lauwarme Milch

20 g Butter

1 Zwiebel, fein gehackt

1 Knoblauchzehe, fein
   gehackt

½ Bund Petersilie, fein
   gehackt (nach Belieben)

3 Eier

Salz und Pfeffer

1 EL Mehl

Semmelbrösel, nach Belieben

Zubereitung

1 Die Brötchen in dünne Scheiben schneiden, in eine große Schüssel geben und mit der Milch übergießen. Kurz einweichen lassen.

2 Die Butter in einer Pfanne zerlassen. Zwiebel und Knoblauchzehe zugeben und glasig dünsten. Vom Herd nehmen, nach Belieben Petersilie unterrühren und abkühlen lassen.

3 Eier, Salz und Pfeffer zu den Brötchen in die Schüssel geben und vermengen. Zwiebelmischung und Mehl zugeben und gut verkneten. Falls die Masse zu weich ist, Semmelbrösel unterkneten.

4 In einem Topf Salzwasser zum Kochen bringen. Mit feuchten Händen Knödel formen und vorsichtig in das kochende Wasser geben. Die Hitze reduzieren und die Knödel im nicht mehr kochenden Wasser 15 Minuten ziehen lassen. Sobald die Knödel an die Oberfläche steigen, sind sie gar. Dann die Knödel mit einem Schaumlöffel aus dem Wasser nehmen, abtropfen lassen und servieren.

Maultaschen-Variation

Zutaten

FÜR 4 PERSONEN

1,5 l Fleischbrühe

2 EL Semmelbrösel in 1 EL
  Butter geröstet, zum
  Servieren

Teig

400 g Mehl

½ TL Salz

125 ml lauwarmes Wasser

1 EL Weißweinessig

70 ml Öl

Füllung

400 g Blattspinat

1–2 altbackene Brötchen, in
  Wasser eingeweicht

200 g Hackfleisch, halb und
  halb

1 Zwiebel, fein gehackt

1 EL frisch gehackte Petersilie

2 Eier

½ TL Salz

1 Msp. weißer Pfeffer

Zubereitung

1 Die Zutaten für den Teig in eine Schüssel geben und vermengen. Zu einem geschmeidigen Teig kneten, in eine angewärmte Schüssel geben und 20 Minuten ruhen lassen.

2 Für die Füllung einen Topf mit Salzwasser füllen, zum Kochen bringen und den Spinat 3 Minuten darin garen. Abtropfen lassen und hacken. Die Brötchen gut ausdrücken, in eine Schüssel geben und mit Hackfleisch, Zwiebel, Petersilie, Spinat und Eiern vermengen. Mit Salz und Pfeffer würzen.

3 Den Teig auf einer leicht bemehlten Arbeitsfläche etwa 3 mm dick ausrollen und mit einem Glas Kreise ausstechen. Jeweils 1 Esslöffel der Füllung in die Mitte der Teigkreise setzen und diese zusammenfalten. Dabei die Ränder gut zusammendrücken. Die Fleischbrühe in einen Topf gießen und zum Kochen bringen. Die Maultaschen hineingeben und die Hitze reduzieren. Etwa 10 Minuten gar ziehen lassen. Sobald die Maultaschen an die Wasseroberfläche steigen, sind sie gar. Mit einem Schaumlöffel herausheben und auf Tellern anrichten. Etwas Fleischbrühe darübergießen, mit den Semmelbröseln bestreuen und servieren.

Spätzle

Zutaten

FÜR 4 PERSONEN

500 g Mehl

5 Eier

150–200 ml Wasser

Salz

2 EL Semmelbrösel, in 1 EL
    Butter geröstet, zum
    Servieren

Zubereitung

1 Alle Zutaten außer den Semmelbröseln in eine Schüssel geben und vermengen. So lange verrühren, bis der Teig Blasen wirft. Die Schüssel abdecken und den Teig 30 Minuten ruhen lassen.

2 Einen großen Topf mit Salzwasser füllen und zum Kochen bringen. Jeweils etwas Teig auf ein Brettchen geben und mit einem Spätzleschaber oder einem kleinen scharfen Messer kleine Stücke vom Teig direkt in das kochende Wasser schaben. Sobald die Spätzle an die Wasseroberfläche steigen, sind sie gar. Die Spätzle mit einem Schaumlöffel herausnehmen und abtropfen lassen. Mit den gerösteten Semmelbröseln bestreuen und servieren.

Kässpätzle

Zutaten

FÜR 4 PERSONEN

50 g Butterschmalz

2 große Zwiebeln, in Ringe
   geschnitten

Butter, zum Einfetten

1 Portion Spätzle (s. S. 184)

150 g Emmentaler, gerieben

Salz und Pfeffer

fein gehackter Schnittlauch,
   zum Servieren

Zubereitung

1 Den Backofen auf 180 °C vorheizen. Das Butterschmalz in einer Pfanne zerlassen und die Zwiebelringe darin goldbraun dünsten.

2 Eine Auflaufform einfetten. Die Spätzle abwechselnd mit den Zwiebelringen und dem Käse in die Form schichten. Dabei jede Lage mit ein wenig Salz und Pfeffer würzen. Die oberste Lage sollte aus Käse bestehen. Etwa 15 Minuten backen, bis der Käse eine goldbraune Farbe angenommen hat. Mit dem Schnittlauch bestreuen und servieren.

Riesenschupfnudeln

Zutaten

FÜR 4 PERSONEN

500 g gekochte Kartoffeln

2 Eier

Salz

geriebene Muskatnuss

200 g Mehl

Salatblätter, zum Garnieren

Zubereitung

1 Die Kartoffeln pellen und durch eine Kartoffelpresse drücken. Alternativ mit einem Kartoffelstampfer bearbeiten. In eine Schüssel geben und mit Eiern, Salz und geriebener Muskatnuss vermengen. Nach und nach so viel Mehl unterkneten, dass ein glatter Teig entsteht.

2 Den Teig auf eine bemehlte Arbeitsfläche geben und daraus mit bemehlten Händen eine Rolle formen. Die Rolle in Stücke schneiden und diese zu fingerdicken langen Würstchen formen.

3 In einem großen Topf Salzwasser zum Kochen bringen. Die Schupfnudeln schnell hintereinander in das kochende Wasser geben. Die Hitze auf mittlere Stufe reduzieren und etwa 5 Minuten ziehen lassen. Die Nudeln sind gar, sobald sie an die Wasseroberfläche steigen. Mit einem Schaumlöffel aus dem Wasser nehmen und abtropfen lassen. Nach Wunsch können die Schupfnudeln noch in etwas Butter angebraten werden. Auf Tellern anrichten und mit Salatblättern garnieren.

Desserts
& Gebäck

Desserts sind in Deutschland abwechslungsreich und üppig. Oft werden sie auf Basis von Früchten der Saison zubereitet. In der Kirschenzeit werden beispielsweise gerne Nachspeisen wie *Kirschmichel*, *Kirschstreuselkuchen* oder die berühmte *Schwarzwälder Kirschtorte* gebacken, in die noch ein Schuss Kirschwasser kommt. *Pflaumenkuchen* ist eine weitere deutsche Spezialität. Hierfür werden nur die reifsten Früchte verwendet, die in oder auf einem leckeren, süßen Hefeteig verteilt werden. Der *Apfelstrudel* stammt zwar ursprünglich aus Österreich, ist aber seit vielen Jahren auch zu einem Klassiker der deutschen Küche geworden. Probieren Sie *Waffeln*, *Griespudding* oder *Armen Ritter* einmal mit Apfelkompott anstatt mit Kirschen und Sahne. Sie werden überrascht sein, wie gut das schmeckt!

Quark, der vielseitige Milchkäse mit niedrigem Fettgehalt, findet sich in vielen Desserts, so etwa in der *Westfälischen Quarkspeise* oder in der *Dresdner Eierschecke*, einer Spezialität aus dem Osten Deutschlands. Marzipan liebt man bei uns vor allem im Winter. So werden *Bratäpfel* und *Christstollen* damit gefüllt, und Baumkuchenteig besteht zu einem großen Teil daraus. Dieser wird dann in bis zu 30 Schichten gebacken. Wenn der Baumkuchen angeschnitten wird, soll er an die Jahresringe eines Baumstammes erinnern.

Rote Grütze mit Vanillesauce

Zutaten

FÜR 4–6 PERSONEN

500 g Himbeeren

400 g Kirschen

100 g Johannisbeeren

500 ml Wasser

1 Päckchen Vanillezucker

250 g Zucker

70 g Speisestärke

Vanillesauce

3 Eigelb

50 g Zucker

Mark von 1 Vanillestange

250 ml Milch

Zubereitung

1 Die Beeren waschen, abtropfen lassen und halbieren. Wasser, Vanillezucker und Zucker in einen Topf geben und zum Kochen bringen. Die Beeren zufügen und etwa 15 Minuten bei mittlerer Hitze köcheln lassen.

2 Eine Schöpfkelle voll Grütze in eine Schüssel geben und mit der Speisestärke verrühren. Dann in den Topf zur restlichen Grütze geben, gut verrühren und nochmals aufkochen lassen. 4–6 Dessertschalen mit kaltem Wasser ausspülen und die Grütze darauf verteilen. Abkühlen lassen.

3 Für die Sauce das Eigelb mit der Hälfte des Zuckers in einer hitzebeständigen Schüssel schaumig rühren. Vanillemark, Milch und restlichen Zucker in einen Topf geben, unter Rühren kurz aufkochen lassen und vom Herd nehmen. Kurz stehen lassen und unter Rühren in die Eigelbmasse gießen.

4 Die Schüssel in einen Topf mit heißem Wasser stellen und im Wasserbad ständig rühren, bis die Sauce dicker wird und schließlich cremig bindet. (Dabei nicht kochen lassen.) Die fertige Sauce in eine andere Schüssel gießen, mit Frischhaltefolie abdecken und abkühlen lassen. Die Grütze mit der Vanillesauce servieren.

Bayrische Creme mit Erdbeeren

Zutaten

FÜR 4 PERSONEN

6 Blatt weiße Gelatine

500 ml Milch

Mark von 1 Vanillestange

4 Eigelb

100 g Zucker

200 g Schlagsahne, steif
   geschlagen

200 g Erdbeeren, geviertelt,
   plus 4 ganze Erdbeeren,
   zum Servieren

Zubereitung

1 Die Gelatine in eine kleine Schüssel geben, mit Wasser bedecken und 10 Minuten einweichen. Die Milch mit Vanillemark und -stange in einen Topf geben und unter Rühren aufkochen lassen. Eigelb und Zucker in einer Schüssel dickschaumig aufschlagen. Die Vanillestange aus der heißen Milch entfernen und diese in dünnem Strahl und unter Rühren zu der Ei-Zucker-Masse gießen.

2 Die Gelatine gut ausdrücken und in die noch warme Creme rühren, bis sie sich ganz auflöst. Die Creme in den Kühlschrank stellen, alle 10 Minuten herausnehmen und gut umrühren.

3 Sobald die Creme abgekühlt ist und andickt, die Sahne locker darunterziehen. 4 Dessertschalen oder Gläser mit kaltem Wasser ausspülen und die Erdbeeren darauf verteilen. Die Creme darübergießen und für mindestens 4 Stunden oder aber über Nacht in den Kühlschrank stellen. Jeweils mit einer ganzen Erdbeere garnieren und servieren.

Westfälische Quarkspeise

Zutaten

FÜR 4 PERSONEN

500 g Quark

80 g Zucker

2 EL Vanillezucker

150 ml Milch oder Sahne

100 g Pumpernickel, plus
  etwas mehr zum
  Garnieren

60 ml Rum

1 Glas Sauerkirschen

Johannisbeeren, zum
  Garnieren

Zubereitung

1 Quark, Zucker, Vanillezucker und Milch oder Sahne in eine Schüssel geben und verrühren.

2 Den Pumpernickel in einer Schüssel zerbröseln, den Rum zugießen, verrühren und etwas ziehen lassen.

3 Die Kirschen abtropfen lassen. Nach Belieben lagenweise Quark, Pumpernickel und Kirschen in einer großen Schüssel schichten oder alles miteinander verrühren und auf Desserschalen verteilen. Mit Johannisbeeren und Pumpernickelwürfeln garnieren.

Grießpudding mit Apfelkompott

Zutaten

FÜR 4 PERSONEN

2 Eier

500 ml Milch

1 Vanillestange

1 Prise Salz

50 g Zucker

Schale von einer ½ Zitrone

100 g Weizengrieß

Apfelkompott

175 g Zucker

450 ml Wasser

½ TL abgeriebene
   Zitronenschale

½ Zimtstange

8 mittelgroße Äpfel, geschält,
   entkernt und in dicke
   Scheiben geschnitten

Zubereitung

1 Für das Apfelkompott, Zucker, Wasser, Zitronenschale und Zimtstange in einen Topf geben und aufkochen lassen. Einige Minuten köcheln lassen, bis ein dickflüssiger Sirup entsteht. Dann die Äpfel zufügen und noch einmal 5–8 Minuten köcheln lassen. Die Zimtstange entfernen, den Topf vom Herd nehmen und abkühlen lassen.

2 Für den Grießpudding die Eier trennen und das Eiweiß steif schlagen. Das Eigelb mit 2 Esslöffeln Milch verrühren. Das Mark aus der Vanillestange kratzen. Milch, Salz, Zucker, Zitronenschale, Vanillemark und Vanillestange in einen Topf geben und aufkochen lassen. Die Zitronenschale entfernen.

3 Vom Herd nehmen, den Grieß unter Rühren einstreuen und etwa 8 Minuten quellen lassen. Dann das Eigelb zugeben und gut verrühren. Nun den Eischnee locker unter den heißen Pudding ziehen. Die Dessertschalen mit kaltem Wasser ausspülen und den Grießpudding darauf verteilen. Noch warm mit Apfelkompott servieren.

Bayrische Nussküchlein

Zutaten

FÜR 4 PERSONEN

50 g Butter

25 g Puderzucker

25 g geriebene Haselnüsse

50 g Löffelbiskuits, in Stücke
gebrochen

50 g Zartbitterschokolade,
gerieben

2 große Eier, getrennt

1 EL Brandy

1 EL Crème de Cacao

Butter, zum Einfetten

Sauce

4 TL Wasser

25 g Zucker

Saft und abgeriebene Schale
von 1 kleinen Orange

125 g Kuvertüre

Zubereitung

1 Den Backofen auf 180 °C vorheizen. Die Butter in einer großen Schüssel weich schlagen, nach und nach den Zucker zugeben und gut verrühren. Unter Rühren Haselnüsse, Biskuitbrösel und geriebene Schokolade zufügen. Dann Eigelb, Brandy und Crème de Cacao zugeben und alles gut vermengen.

2 Das Eiweiß steif schlagen und vorsichtig unter die Nussmischung heben. 4 ofenfeste Förmchen einfetten und die Nussmischung darauf verteilen.

3 Etwas heißes Wasser in eine Auflaufform gießen und die Förmchen hineinstellen. Die Auflaufform vorsichtig in den Ofen schieben und etwa 45 Minuten backen, bis die Küchlein gar sind.

4 Für die Sauce Wasser, Zucker, Orangensaft und -schale in einen kleinen Topf geben und zum Kochen bringen. Die Hitze reduzieren und weitere 3 Minuten köcheln lassen. Die Kuvertüre in eine hitzebeständige Schüssel geben und auf einen Topf mit heißem Wasser stellen. Im Wasserbad schmelzen, dann langsam und unter Rühren den Orangensirup zugießen und gut verrühren.

5 Die Küchlein mithilfe eines Messers aus den Formen lösen und auf Teller stürzen. Mit der Sauce übergießen und noch warm servieren.

Kirschenmichel

Zutaten

FÜR 4–6 PERSONEN

4 altbackene Brötchen

200 ml lauwarme Milch

2 EL Butter, in kleine Würfel
geschnitten, plus etwas
mehr zum Einfetten

2 Eier

50 g Zucker

2 TL Zimt

700 g Süßkirschen, entsteint,
oder Sauerkirschen aus
dem Glas, gut abgetropft

50 g gehackte Mandeln

1 Prise Salz

2 EL Puderzucker

steif geschlagene Schlag-
sahne, zum Servieren

Zubereitung

1 Die Brötchen in dünne Scheiben schneiden, mit der Milch übergießen und gut einweichen.

2 Den Backofen auf 200 °C vorheizen. Eine Auflaufform mit Butter einfetten. Die Eier trennen. Das Eigelb in einer Schüssel mit Zucker und Zimt verrühren. Kirschen und gehackte Mandeln zugeben und gut verrühren. Die Brötchenmasse zugeben und vermengen. Eiweiß und Salz steif schlagen und vorsichtig unter die Kirschmasse heben. Dann in die Aufflaufform gießen und gut verteilen.

3 Mit Butterflöckchen belegen und auf der mittleren Schiene etwa 40 Minuten backen, bis die Oberfläche eine goldbraune Farbe angenommen hat. Mit Puderzucker bestreuen und mit Schlagsahne servieren.

Bratäpfel mit Vanillesauce

Zutaten

FÜR 4 PERSONEN

50 g weiche Butter

50 g Puderzucker

50 g gemahlene Mandeln

1 EL Mehl

1 Prise Salz

1 EL Rum

1 Ei

4 große Äpfel (z. B. Boskop)

Vanillesauce (s. S. 192), zum
    Servieren

Zubereitung

1 Den Backofen auf 160 °C vorheizen. Butter und Zucker in eine Schüssel geben und schaumig rühren. Nach und nach Mandeln, Mehl, Salz, Rum und schließlich das Ei einrühren. Alles gut vermengen.

2 Mit einem Ausstecher das Kerngehäuse aus den Äpfeln herauslösen und den Hohlraum mit der Mandelmasse füllen.

3 Ein Backblech mit Backpapier auslegen und die Äpfel daraufsetzen. Etwa 30 Minuten backen. Vor dem Servieren etwas abkühlen lassen, auf Tellern anrichten und mit der Vanillesauce übergießen.

Dampfnudeln

Zutaten

FÜR 8 PERSONEN

1 l Milch

40 g Butter

1 Prise Salz

50 g Zucker

Vanillesauce (s. S.192), zum
Servieren

Teig

500 g Mehl, plus etwas mehr
zum Bestäuben

30 g frische Hefe

50 g Zucker

250 ml lauwarme Milch

2–3 Eier

Salz

½ TL abgeriebene Zitronenschale

3 EL weiche Butter

Zubereitung

1 Für den Teig das Mehl in eine Schüssel sieben und in die Mitte eine Vertiefung drücken. Die Hefe in die Vertiefung bröseln und mit 2 Teelöffeln Zucker, etwas lauwarmer Milch und ein wenig Mehl zu einem Vorteig anrühren. Die Schüssel abdecken und an einem warmen Ort 15 Minuten gehen lassen. Dann Eier, Salz, den restlichen Zucker, Zitronenschale und Butter zufügen und zu einem geschmeidigen Teig verarbeiten. So lange kräftig kneten, bis der Teig Blasen wirft. Nun den Teig auf einer Arbeitsfläche zu einer Rolle formen und in 14 Sücke schneiden. Ein Schneidebrett mit Mehl bestäuben. Die Teigbällchen darauflegen, abdecken und etwa 30 Minuten gehen lassen.

2 Den Backofen auf 150 °C vorheizen. In einen großen Topf Milch, Butter, Salz und Zucker geben und aufkochen. Vom Herd nehmen und auf Zimmertemperatur abkühlen lassen. Nun die Teigbällchen dicht nebeneinander in den Topf legen, diesen mit einem feuchten Tuch bedecken und mit dem Topfdeckel fest verschließen. (Es darf während des Garvorgangs kein Dampf entweichen.) Den Topf in den Ofen geben und 25–30 Minuten backen. Sobald es im Topf knistert, brauchen die Dampfnudeln noch 5 Minuten. Die Dampfnudeln sollten unten eine leichte Kruste haben. Auf Tellern anrichten und mit Vanillesauce servieren.

Gebackener Milchreis mit Pflaumensauce

Zutaten

FÜR 4–6 PERSONEN

100 g Milchreis

750 ml Milch

1 Prise Salz

50 g Butter, plus etwas mehr
   zum Einfetten

abgeriebene Schale von
   ½ Zitrone

25 g Rosinen

1 TL Zimt

4 Eier, getrennt

70 g Zucker

Sauce

250 g Pflaumen, halbiert und
   entsteint

250 ml Wasser

1 Streifen Zitronenschale

2 EL Speisestärke

50 g Zucker

1 EL Zitronensaft

Zubereitung

1 Den Reis in einen Topf geben, mit Wasser bedecken und zum Kochen bringen. Nach 5 Minuten den Reis abgießen und abtropfen lassen.

2 Milch, Salz, Butter, Zitronenschale und Reis in einen Topf geben und bei geringer Hitze etwa 45 Minuten unter Rühren köcheln lassen, bis der Reis gar ist. Die Zitronenschale entfernen und abkühlen lassen. Rosinen und Zimt zugeben und gut verrühren.

3 Für die Sauce die Pflaumen in eine Pfanne geben, etwas Wasser zugießen und bei geringer Hitze so lange köcheln, bis sie weich sind. Dann mit einem Pürierstab pürieren. Wasser und Zitronenschale in einen Topf geben und zum Kochen bringen. Die Speisestärke in 1 Esslöffel Wasser auflösen, in den Topf geben und verrühren. Kurz köcheln lassen, die Zitronenschale entfernen und das Pflaumenmus einrühren. Mit Zucker und Zitronensaft abschmecken. Beiseitestellen.

4 Den Backofen auf 175 °C vorheizen. Eigelb und Zucker schaumig schlagen und unter den abgekühlten Reis ziehen. Das Eiweiß steif schlagen und unter den Reis heben. Eine Auflaufform einfetten, die Masse hineingeben und 45 Minuten goldbraun backen. Mit der Pflaumensauce servieren.

Schmandwaffeln mit Zimtäpfeln

Zutaten

FÜR 4 PERSONEN

Waffeln

250 g Schmand

4 Eier

120 g Mehl (nach Belieben
   Vollkornmehl)

2 EL zerlassene Butter

2 EL Honig

1 TL abgeriebene
   Zitronenschale

Mark von 1 Vanillestange

Öl, zum Backen

steif geschlagene Schlag-
   sahne, zum Servieren

Zimtäpfel

2 säuerliche Äpfel

2 EL Butter

Saft von 1 Zitrone

2 EL Honig

½ TL Zimt

Zubereitung

1 Für die Waffeln Schmand und Eier in eine Schüssel geben und schaumig rühren. Die restlichen Zutaten zugeben und alles zu einem glatten Teig verrühren.

2 Das Waffeleisen aufheizen und mit 1 Teelöffel Öl einfetten. Aus dem Teig goldgelbe Waffeln backen.

3 Die Äpfel schälen, halbieren, entkernen und in Scheiben schneiden. Die Butter in einer Pfanne zerlassen, die Äpfel zugeben und weich dünsten. Mit dem Zitronensaft beträufeln und mit Honig und Zimt abschmecken.

4 Die Waffeln auf Tellern anrichten und die Zimtäpfel darauf verteilen. Mit Schlagsahne servieren.

Arme Ritter

Zutaten

FÜR 4 PERSONEN

1 Ei

250 ml Milch

4 Scheiben altbackenes
   Weißbrot

50 g Butter

Zucker

Zimt

Zimtäpfel (s. S. 210), zum
   Servieren

Zubereitung

1 Ei und Milch in eine Schüssel geben und verquirlen. Die Brotscheiben zufügen und gut einweichen lassen.

2 Die Butter in einer Pfanne zerlassen. Die Brotscheiben zugeben und goldbraun ausbacken. Sobald sie knusprig sind, auf Tellern anrichten. Noch heiß mit Zucker und Zimt bestreuen und mit Zimtäpfeln servieren.

Dresdner Eierschecke

Zutaten

Mürbeteig

200 g Weizenmehl, plus
    etwas mehr zum
    Bestäuben
100 g Butter, plus etwas
    mehr zum Einfetten
100 g Zucker
1 Ei
1 EL Butter
2 EL Mehl

Füllung

750 g Magerquark
2 Eier
1 Päckchen Sahne-
    puddingpulver
200 g Zucker

Puddingschicht

2 Päckchen Sahne-
    puddingpulver
175 g Zucker
240 ml Milch
5 Eier
1 Prise Salz
150 g weiche Butter

Zubereitung

1 Die Zutaten für den Teig in eine Schüssel geben und gut vermengen. Den Teig abdecken und im Kühlschrank 30 Minuten ruhen lassen.

2 Die Zutaten für die Füllung in einer Schüssel zu einer glatten Masse rühren.

3 Eine Springform mit Butter einfetten und leicht mit Mehl bestäuben. Den Mürbeteig mit den Fingern gleichmäßig auf dem Boden verteilen. Die Quarkmasse daraufgeben und verstreichen. Den Ofen auf 160 °C vorheizen.

4 Für die Puddingschicht Puddingpulver und Zucker mit 5 Esslöffeln Milch verrühren. Die restliche Milch in einem Topf zum Kochen bringen, vom Herd nehmen und das Puddinggemisch unterrühren. Noch einmal auf den Herd stellen und unter Rühren kurz aufkochen lassen. Die Eier trennen und Eiweiß und Salz steif schlagen. Eigelb und Butter in den Pudding geben und gut verrühren. Nun den Eischnee unter den Pudding heben und die Masse auf der Quarkschicht verteilen.

5 30 Minuten backen. Die Hitze auf 150 °C reduzieren und weitere 20 Minuten backen. Dann die Hitze auf 140 °C reduzieren und nochmals 20 Minuten backen. Den Backofen ausschalten und die Schecke 10 Minuten darin ruhen lassen. Abkühlen lassen und servieren.

Fürst-Pückler-Eistorte

Zutaten

ERGIBT 12 PORTIONEN

5 Eier, getrennt

200 g Puderzucker

1 Prise Weinsteinsäure
(erhältlich in der
Apotheke)

1 Päckchen gemahlene weiße
Gelatine

4 EL Wasser

85 g Zucker

60 ml Sherry

500 g Schlagsahne, mit 3 EL
Puderzucker steif
geschlagen, plus etwas
mehr zum Dekorieren

2 EL Kakao, ungesüßt

200 g Himbeeren, plus
12 Himbeeren, zur
Dekoration

1 TL Vanillearoma

25 g Bitterschokolade,
geraspelt

Zubereitung

1 Den Backofen auf 125 °C vorheizen. Das Eiweiß sehr steif schlagen und mit Zucker und Weinstein verrühren. Eine Springform mit Backpapier auslegen, die Masse hineingeben und 45 Minuten backen. Den Ofen ausschalten und die Meringue noch 1 Stunde im Ofen ruhen lassen. Aus der Form nehmen, das Backpapier abziehen und die Meringue zurück in die Form geben.

2 Die Gelatine mit Einweichwasser in eine Schüssel geben und über einem Topf mit heißem Wasser auflösen. Dann 5 Minuten ruhen lassen. Eigelb, Zucker und Sherry zugeben, auf das Wasserbad stellen und schlagen, bis die Masse andickt. Beiseitestellen.

3 Die Schlagsahne unter die Gelatinemasse heben und auf 3 Schüsseln verteilen. In die eine Schüssel den Kakao mischen, in die zweite die Himbeeren, in die dritte das Vanillearoma. Die Kakaomischung auf die Meringue geben, ins Kühlfach stellen und 20 Minuten einfrieren. Dann die Himbeermischung darauf verteilen und weitere 20 Minuten einfrieren. Zuletzt die Vanillemischung darauf verstreichen und 8 Stunden einfrieren.

4 Die Eistorte vorsichtig auf eine Kuchenplatte heben. Mit Sahne und Himbeeren verzieren und mit der geraspelten Schokolade bestreuen. Servieren.

Käsekuchen mit Rosinen

Zutaten

ERGIBT 8 PORTIONEN

125 g helle Rosinen

50 ml Rum

Teig

400 g Mehl

200 g Zucker

250 g Butter, plus etwas
mehr zum Einfetten

2 Eier

1 Päckchen Backpulver

Füllung

1 kg Magerquark

300 g Zucker

Saft und abgeriebene Schale
von ½ Zitrone

1 Päckchen Vanillezucker

500 ml Milch

Zubereitung

1 Die Rosinen über Nacht im Rum einlegen.

2 Mehl, Zucker, Butter und Eier in eine Schüssel geben und vermengen. Das Backpulver zugeben und nochmals gut vermengen. Abdecken, in den Kühlschrank stellen und 30 Minuten ruhen lassen.

3 Den Backofen auf 175 °C vorheizen. Alle Zutaten für die Füllung in eine Schüssel geben und vermengen. Eine Springform mit etwas Butter einfetten. Den Teig auf dem Boden der Springform mit den Fingern verteilen. Die Quarkmasse darübergeben und gut verstreichen. 1 Stunde backen. Anschließend den Ofen abschalten und den Kuchen bei geöffneter Ofentür im Ofen auskühlen lassen.

Pflaumenkuchen

Zutaten

ERGIBT 12 STÜCK

500 g Mehl, plus etwas mehr
    zum Bestäuben
250 ml lauwarme Milch
1 Päckchen Frischhefe
200 g Zucker
1 Ei
25 g lauwarme Butter, plus
    etwas mehr zum Einfetten
1 Prise Salz
abgeriebene Schale von
    ½ Zitrone
1 kg Pflaumen, entsteint
Puderzucker und Zimt, zum
    Bestäuben

Zubereitung

1 Das Mehl in eine große Schüssel sieben und in die Mitte eine Mulde drücken. 100 ml Milch und die Hefe zugeben und mit 1 Teelöffel Zucker und etwas Mehl verrühren. Auf diese Weise einen Vorteig herstellen und abdecken. An einen warmen Ort stellen und gehen lassen.

2 Die restliche Milch, den übrigen Zucker, Ei, Butter und Salz zufügen und alles kräftig kneten, bis der Teig Blasen wirft. Die Schüssel abdecken und erneut 30 Minuten gehen lassen, bis der Teig das doppelte Volumen erreicht hat.

3 Den Backofen auf 180 °C vorheizen. Ein Backblech einfetten und leicht mit Mehl bestäuben. Mit den Fingern den Teig darauf verteilen. Die Pflaumen mit der aufgeschnittenen Seite nach unten auf den Teig drücken. Den Teig mit einem sauberen Küchenhandtuch bedecken und abermals 1 Stunde an einem warmen Ort gehen lassen, bis er das Doppelte seines Volumens erreicht hat.

4 Den Kuchen 30 Minuten backen, bis der Teig eine goldene Farbe angenommen hat. Mit Puderzucker und Zimt bestreuen und servieren.

Apfelstrudel

Zutaten

FÜR 6–8 PERSONEN

Teig

500 g Mehl

1 Päckchen Backpulver

200 g Zucker

250 g weiche Butter, plus
etwas mehr zum Einfetten

1 Ei

1 Prise Salz

1 Päckchen Vanillezucker

zerlassene Butter

Puderzucker, zum Garnieren

Vanillesauce (s. S. 192), zum
Servieren

Füllung

1 kg Äpfel, geschält und
geraspelt

2 Päckchen Vanillezucker

100 g Rosinen

30 g geriebene Mandeln

Zimt

Zubereitung

1 Für den Teig Mehl und Backpulver in eine große Schüssel sieben und mit dem Zucker mischen. In die Mitte eine Mulde drücken und Butter, Ei, Salz und Vanillezucker hineingeben. Alles zu einem Teig vermengen und diesen in 2 Hälften teilen. Beide Hälften dünn ausrollen.

2 Den Backofen auf 175 °C vorheizen. Die Teighälften mit etwas zerlassener Butter bepinseln und die Apfelstücke darauf verteilen. Mit Vanillezucker, Rosinen, geriebenen Mandeln und Zimt bestreuen. Ein Backblech mit Butter einfetten. Die Teighälften zu dicken Rollen aufrollen, die Enden unter die Rollen falten und auf das Backblech legen.

3 Die beiden Apfelstrudel auf der mittleren Schiene etwa 1 Stunde backen. Mit Puderzucker bestäuben und mit Vanillesauce servieren.

Baumkuchentorte

Zutaten

ERGIBT 8 STÜCKE

400 g Marzipan

60 g Sahne

200 g Butter, plus etwas
  mehr zum Einfetten

100 g Maismehl

150 g Mehl

2 EL Rum

1 TL Vanillearoma

1 TL abgeriebene
  Zitronenschale

10 Eier, getrennt

200 g Puderzucker

450 g Aprikosenmarmelade,
  erwärmt

120 g geriebene Mandeln

gehackte Pistazien, zum
  Garnieren

Glasur

85 g Butter

1 TL Rum

1 TL heller Sirup

85 g Kuvertüre, in kleine
  Stücke gebrochen

Zubereitung

1 Marzipan und Sahne in einer Schüssel verrühren. In einer weiteren Schüssel Butter, Maismehl, Mehl, Rum, Vanillearoma und Zitronenschale vermengen. Das Marzipan unterrühren. In einer dritten Schüssel Eigelb und die Hälfte des Zuckers schaumig rühren und unter die Marzipanmischung heben. Das Eiweiß steif schlagen, dabei den restlichen Zucker einrühren. Ebenfalls unter die Marzipanmasse heben.

2 Den Backofengrill vorheizen. Eine Springform mit Backpapier auslegen. 3 Esslöffel der Masse auf dem Boden der Form verteilen. Unter dem Grill 2–3 Minuten backen, bis der Teig bräunt. Herausnehmen, 3 Esslöffel von der Masse auf dem Teig verteilen und wieder unter den Grill geben. Herausnehmen und dünn Marmelade und Mandeln darauf verteilen. Erneut mit 3 Esslöffeln Teig bestreichen und backen. So vorgehen, bis der Teig aufgebraucht ist.

3 Den Kuchen über Nacht in der Form abkühlen lassen. Aus der Form nehmen, das Backpapier entfernen und auf ein Kuchengitter heben. Die restliche Marmelade erhitzen und den Kuchen damit bestreichen.

4 Für die Glasur alle Zutaten im Wasserbad schmelzen und verrühren. Etwas abkühlen lassen und den Kuchen damit bestreichen. Mit den gehackten Pistazien bestreuen.

Schwarzwälder Kirschtorte

Zutaten

ERGIBT 8 PORTIONEN

Teig

6 Eier, getrennt

90 ml warmes Wasser

1 Prise Salz

200 g Zucker

1 Päckchen Vanillezucker

300 g Mehl

1 EL Kakao

1 Päckchen Backpulver

Schokoraspel, zum Garnieren

Füllung

80 ml Kirschwasser

500 g Sahne

1 Päckchen Vanillezucker

1½ EL Zucker

1 Päckchen Sahnesteif

1 Glas Sauerkirschen,
    abgetropft und Saft
    aufgefangen

1 EL Speisestärke, in etwas
    Wasser aufgelöst

1/2 lt Saft

3 gehäufte Epl.

Mondamin

Zubereitung

1 Den Backofen auf 200 °C vorheizen. In einer Schüssel Eiweiß, Wasser und Salz schaumig schlagen. Zucker und Vanillezucker langsam einrieseln lassen und erneut aufschlagen. Das Eigelb unterheben. In einer weiteren Schüssel Mehl, Kakao und Backpulver vermischen, in die Eimasse sieben und vermengen.

2 Eine Springform mit Backpapier auslegen und den Teig hineingießen. Etwa 20–25 Minuten backen. Auf ein Gitterrost stürzen und abkühlen lassen.

3 Den Boden waagerecht in 3 Schichten schneiden. Jede Schicht mit 2 Esslöffeln Kirschwasser beträufeln. Sahne mit Vanillezucker, 1 Esslöffel Zucker und Sahnesteif steif schlagen. Den Kirschsaft in einen Topf mit ½ Esslöffel Zucker aufkochen. Die Speisestärke einrühren und andicken lassen. Die Kirschen zugeben, vom Herd nehmen und abkühlen lassen.

4 Auf dem untersten Boden ein Drittel der Schlagsahne verstreichen, dann die Hälfte der Kirschen darauf verteilen. Den zweiten Boden darauflegen und ebenso verfahren. Anschließend den dritten Boden auflegen. Die Torte ringsum mit Schlagsahne bestreichen und mit den Schokoraspeln bestreuen. Nach Belieben mit ganzen Kirschen garnieren. Im Kühlschrank mindestens 1 Stunde ruhen lassen und servieren.

Kirschstreusel

Zutaten

ERGIBT 8 PORTIONEN

250 g Mehl

100 g gemahlene Mandeln

125 g Zucker

½ TL Zimt

225 g kalte Butter, in Stücke
geschnitten, plus etwas
mehr zum Einfetten

450 g Kirschen, entsteint

Puderzucker, zum Bestäuben

Zubereitung

1 In einer großen Schüssel Mehl, Mandeln, Zucker und Zimt verrühren. Die Butter zufügen und alles zwischen den Fingern zerreiben, bis sich große Krümel bilden. Alternativ in eine Küchenmaschine geben und mit dem Knethaken langsam mischen, bis die Mischung klumpig wird.

2 Den Backofen auf 175 °C vorheizen. Die Hälfte der Mischung in eine kleine gefettete Springform geben und mit den Fingern auf den Boden drücken. Die Kirschen darüber verteilen, dann den restlichen Teig darübergeben. 45 Minuten backen, bis der Kuchen knusprig ist und eine goldene Farbe angenommen hat.

3 Den Kuchen in der Form auskühlen lassen. Dann auf eine Tortenplatte heben, dick mit Puderzucker bestäuben und servieren.

Frankfurter Kranz

Zutaten

ERGIBT 8 PORTIONEN

100 g weiche Margarine oder
   Butter, plus etwas mehr
   zum Einfetten
150 g Zucker
1 Päckchen Vanillezucker
abgeriebene Schale von
   ½ Zitrone
ein Spritzer Rum oder
   Rumaroma
1 Prise Salz
3 Eier
150 g Mehl
50 g Speisestärke
2 TL Backpulver
Belegkirschen und Fertig-
   krokant (nach Belieben)

Krokant

10 g Butter
60 g Zucker
125 g abgezogene, sehr grob
   gehackte Mandeln

Füllung

1 Päckchen Vanille-
   puddingpulver
100 g Zucker
500 ml Milch
250 g weiche Butter,
   zimmerwarm
3 EL Johannisbeergelee oder
   Erdbeerkonfitüre

Zubereitung

1 Den Backofen auf 180 °C vorheizen. Eine Kranzform einfetten. Für den Rührteig Margarine, Zucker, Vanillezucker, Zitronenschale, Rum und Salz cremig rühren. Dann die Eier unterrühren. Mehl, Speisestärke und Backpulver hineinsieben und vermengen. Den Teig in die Kranzform füllen und glatt streichen. 45–60 Minuten backen. Herausnehmen und abkühlen lassen. Dann den Teig waagerecht mit Zwirn in 3 Teile schneiden.

2 Für den Krokant Butter, Zucker und Mandeln in einer Pfanne unter Rühren karamellisieren. Auf ein Stück Alufolie geben und erkalten lassen.

3 Für die Füllung das Puddingpulver nach Packungsanleitung, aber mit dem Zucker und der Milch zubereiten. Auf Zimmertemperatur abkühlen lassen. Butter und Pudding verrühren. Den untersten Boden mit der Marmelade bestreichen, darauf ein Drittel der Buttercreme geben. Den zweiten Boden aufsetzen, erneut ein Drittel der Buttercreme darauf verteilen. Den dritten Boden auflegen und den ganzen Kranz mit der restlichen Buttercreme bestreichen. Den Kranz mit dem Krokant bestreuen. Nach Belieben etwas Buttercreme in einen Spritzbeutel füllen und den Kranz mit Cremerosetten verzieren. Nach Belieben noch mit Belegkirschen und Fertigkrokant bestreuen. Einige Stunden kalt stellen und servieren.

Mohnkuchen

Zutaten

ERGIBT 6 PORTIONEN

Teig

150 g weiche Butter, plus
    etwas mehr zum Einfetten

3 gehäufte EL Zucker

1 Prise Salz

1 großes Ei

200 g Mehl, plus etwas mehr
    zum Bestäuben

1–2 EL Mohnsaat, zum
    Garnieren

Füllung

140 g gemahlener Mohn

90 ml Milch

125 g Zucker

50 g geraspelte Schokolade

50 g Rosinen

50 g Zitronat, klein gehackt

50 g geriebene Mandeln

1 großes Ei, verquirlt

1 EL Puderzucker

Zubereitung

1 Für den Teig in einer Schüssel Butter, Zucker und Salz verrühren. Das Ei einrühren, dann das Mehl und 1 Esslöffel kaltes Wasser zugeben und zu einem festen Teig vermengen. Den Teig zu einer Kugel formen, mit Frischhaltefolie umwickeln und im Kühlschrank 1 Stunde ruhen lassen.

2 Für die Füllung Mohn und Milch in einen Topf geben, erhitzen und 2 Minuten köcheln lassen. Den Topf vom Herd nehmen und Zucker, Schokolade, Rosinen, Zitronat und Mandeln zugeben. 1 Teelöffel vom verquirlten Ei zurückbehalten und das restliche Ei in die Mischung geben. Den Backofen auf 175 °C vorheizen.

3 Den Teig auf einer bemehlten Arbeitsfläche ausrollen. Aus dem Teig mithilfe eines Springformbodens (20 cm Ø) 4 Kreise ausstechen. Die Springform einfetten, einen Teigkreis auf den Boden drücken und mit einer Gabel mehrmals einstechen. Ein Drittel der Füllung darauf verteilen und glatt streichen. Mit einem zweiten Teigkreis belegen und ein weiteres Drittel der Füllung darauf verteilen. Den Vorgang wiederholen und mit dem vierten Teigkreis abschließen. Diesen mit dem zurückbehaltenen Eigelb bestreichen.

4 Den Kuchen 45 Minuten backen, bis er eine goldene Farbe annimmt. Mit Mohnsaat bestreuen, etwas abkühlen lassen und servieren.

Christstollen

Zutaten

FÜR 8 PERSONEN

150 ml lauwarme Milch

50 g Zucker

2 TL Trockenhefe

350 g Mehl, plus etwas mehr
　　zum Bestäuben

½ TL Salz

120 g warme Butter, plus
　　etwas mehr zum Einfetten

1 Ei, verquirlt

40 g Korinthen

50 g Rosinen

50 g Zitronat

50 g Belegkirschen

25 g Mandelstifte

abgeriebene Schale von
　　½ Zitrone

175 g Marzipan, zu einer
　　etwa 22 cm langen Rolle
　　geformt

120 g Puderzucker

1 EL heißes Wasser

Zubereitung

1 Die Milch und 1 Teelöffel Zucker in eine Schüssel geben, die Hefe einstreuen und verrühren. 10 Minuten quellen lassen.

2 Mehl, Salz und den restlichen Zucker in eine Schüssel geben und eine Mulde in die Mitte drücken. Die Hefemischung hineingeben. Butter und Ei zufügen und zu einem glatten Teig vermengen.

3 Korinthen, Rosinen, Zitronat, Kirschen, Mandeln und Zitronenschale in den Teig kneten. Die Schüssel abdecken und an einem warmen Ort 2 Stunden gehen lassen, bis der Teig das doppelte Volumen erreicht hat.

4 Den Teig auf die Arbeitsfläche geben und kräftig kneten, bis er fest und elastisch ist. Zu einem 25 cm x 20 cm großen Rechteck ausrollen und das Marzipan in die Mitte legen.

5 Den Backofen auf 190 °C vorheizen. Den Teig über dem Marzipan zusammenfalten und zu einer Rolle formen. Ein Backblech einfetten und den Teig darauflegen. Mit einem Tuch abdecken und erneut gehen lassen, bis er das doppelte Volumen erreicht hat. Dann 40 Minuten backen, bis der Stollen eine goldene Farbe angenommen hat. Auf ein Gitterrost legen und abkühlen lassen.

6 Puderzucker und Wasser verrühren und auf den noch warmen Stollen streichen. Zum Servieren in Scheiben schneiden.

Roggenbrot

Zutaten

ERGIBT 1 BROT

Vorteig

3 EL lauwarmes Wasser

½ TL Trockenhefe

50 g Mehl

1 EL Milch

1 EL Kümmelsaat (nach
   Belieben)

Teig

375 ml lauwarmes Wasser

1½ TL Trockenhefe

350 g Roggenmehl

100 g Weizenmehl, plus
   etwas mehr zum
   Bestäuben

2 TL Salz

Zubereitung

1 Für den Vorteig das Wasser in eine Schüssel gießen, die Hefe einstreuen und 5 Minuten quellen lassen. Mehl, Milch und nach Belieben Kümmelsaat zufügen und gut vermengen. Mit einem Tuch abdecken und bei Zimmertemperatur 12–18 Stunden gehen lassen.

2 Für den Teig die Hälfte des Wassers in eine Schüssel geben, die Hefe einstreuen und 5 Minuten quellen lassen. Beide Mehlsorten in eine Schüssel geben und verrühren. Eine Mulde in die Mitte drücken und Hefeflüssigkeit und Vorteig hineingeben. In der Mulde einen Brei anrühren. Mit einem Tuch abdecken und erneut mindestens 12 Stunden gehen lassen, bis der Teig Blasen wirft.

3 Salz zugeben und alles zu einem Teig vermengen. Auf eine bemehlte Arbeitsfläche geben und 10 Minuten kneten, bis der Teig elastisch ist. 10 Minuten ruhen lassen.

4 Den Teig zu einem runden Laib formen, auf ein bemehltes Blech legen und mit Mehl bestäuben. Die Oberfläche ein paarmal einritzen. Den Laib abdecken und an einem warmen Ort 2 Stunden gehen lassen, bis er das doppelte Volumen angenommen hat. Den Ofen auf 200 °C vorheizen. Das Brot im Ofen mindestens 1 Stunde backen. Das Brot ist gar, sobald es hohl klingt, wenn man dagegen klopft. Auf einem Gitterrost abkühlen lassen und servieren.

Brezeln

Zutaten

ERGIBT 8 STÜCK

2 TL Trockenhefe

300 ml lauwarmes Wasser

450 g Weizenmehl, plus
etwas mehr zum
Bestäuben

1 TL Salz

1 Ei, mit 1 EL Wasser verquirlt

grobes Salz

Zubereitung

1 Etwas Wasser in eine Schüssel geben, die Hefe einstreuen und 5 Minuten quellen lassen.

2 Mehl und Salz in einer großen Schüssel verrühren und in die Mitte eine Mulde drücken. Die Hefemischung in die Mulde gießen und mit so viel Mehl verrühren, dass ein dicker Teig entsteht. Die Schüssel mit einem Tuch abdecken und 20 Minuten gehen lassen.

3 Das restliche Wasser zugießen und zu einem feuchten Teig verarbeiten. Den Teig auf einer bemehlten Arbeitsfläche 10 Minuten kneten, bis er elastisch ist.

4 Den Teig in eine saubere Schüssel geben, mit einem Tuch abdecken und weitere 2 Stunden gehen lassen, bis er sein Volumen verdoppelt hat. Gut durchkneten und 10 Minuten ruhen lassen. Den Backofen auf 220 °C vorheizen.

5 Den Teig in 8 Stücke teilen und diese zu langen Rollen formen. Die Enden miteinander zu einer Acht verschlingen und zusammendrücken. Die Brezeln auf ein bemehltes Backblech legen und etwas andrücken. Mit der Eimischung bestreichen und mit dem Salz bestreuen. 15–20 Minuten backen, bis sie knusprig sind und eine goldene Farbe angenommen haben. Auf einem Gitterrost abkühlen lassen und servieren.